En couverture :
**Résultat du sabotage qui permit
d'arrêter un convoi allemand
entre Mazamet et Castres dans
la nuit du 19 au 20 août 1944.
Cet événement organisé par
le maquis de Vabre favorisa
la reddition allemande.**
© Club Rail Miniature Castrais, coll. M. Viers.

En dernière de couverture :
**Loïc Bouvard et son père dans
le Morbihan vers 1940.**
Coll. L. Bouvard.

collection
HISTOIRE

Des enfants dans la Résistance (1939-1945)

Texte Philippe Chapleau

Editions OUEST-FRANCE

Introduction
« Allons enfants de la Patrie… »

Dans l'histoire militaire mondiale, la guerre de 1939-1945 constitue, à au moins un titre, une rupture : pour la première fois, de très nombreux jeunes garçons et jeunes filles ont pris part aux combats. La guerre n'était plus la prérogative des adultes, l'apanage de guerriers-citoyens majeurs, le lot exclusif d'hommes aptes à manier des armes aussi pesantes qu'encombrantes… Désormais, il allait falloir compter sur ceux qu'on n'appelait pas encore des « enfants-soldats » :

des mineurs, parfois impitoyables, armés de grenades ou de mitraillettes, des messagers anodins en culottes courtes, des espionnes innocentes aux nattes blondes…

Certains de ces adolescents, nés dans les États fascistes allemand et italien, se préparaient au combat depuis longtemps. Les jeunes Italiens intégraient les *Balillas* à 8 ans, puis ils rejoignaient, six ans plus tard, les *Avant-guardisti* où ils se préparaient à la prestation du serment fasciste. Les jeunes Allemands

L'Italie fasciste a vite militarisé la jeunesse. Le régime a créé les *Balillas*, une organisation paramilitaire pour les 8-14 ans. Ici, de jeunes Italiens équipés de motos se préparent à défiler. À l'âge de 15, les jeunes Italiens rejoignaient le corps des *Avantguardisti*. © Akg-images.

Page de gauche : **Le bureau des engagés volontaires français à Londres a accueilli, dès l'été 1940, de nombreux jeunes hommes dont certains mentaient sur leur âge pour s'engager dans les rangs de la France libre. La majorité était alors fixée à 21 ans. Beaucoup de ces futurs soldats n'avaient pas 18 ans.** Coll. Ch. Le Corre.

militaient tôt dans les organisations de jeunesse avant de se former à la guerre dans les camps de la *Hitlerjugend*. Le régime nazi n'attendra pas leur majorité pour les jeter sur les champs de bataille : dès 1943, certains d'entre eux allaient se révéler être de redoutables soldats.

En France, en revanche, la militarisation de la jeunesse n'a jamais constitué une priorité politique ou éducative. Les jeunes Français étaient, certes, patriotes. Beaucoup avaient été élevés dans le souvenir de leurs aînés de 1914-1918. Certains militaient chez les catholiques, d'autres chez les communistes. Cent mille d'entre eux, Scouts, marchaient sur les traces de Baden-Powell. Mais l'embrigadement et la militarisation forcenés étaient absents de leur environnement.

Pourtant, après la honte de la défaite, quand l'affrontement avec l'occupant est devenu inéluctable, cette jeunesse pacifique a su puiser en elle énergie et détermination pour s'imposer dans les rangs de ses aînés en lutte. Elle a répondu à l'appel lancé par l'abbé Pierre, en mai 1943, à l'occasion de la fête de Jeanne d'Arc : « Toi, jeune de France, de quelque horizon que tu viennes, qui, ayant tout perdu, sens qu'une dernière chose te reste, ton âme de Français et sa puissance, terrible de révolte… » Des enquêtes de la Fondation de la France libre et des services historiques des Armées montrent ainsi que la moitié des volontaires des Forces françaises libres (FFL) avait moins de 21 ans (l'âge de la majorité, à l'époque). Si cette proportion était certainement inférieure chez les

En haut : **L'Allemagne nazie a également rapidement militarisé sa jeunesse.** Garçons et filles étaient embrigadés dans des organisations paramilitaires, soumis à la propagande fasciste et préparés à devenir des combattants. Coll. Ch. Le Corre.

En bas : **« Heil Hitler » : la militarisation commençait dès la salle de classe.** Les jeunes Allemands ont, non seulement été militarisés, mais à partir de 1943, des milliers d'entre eux ont rejoint l'armée et été déployés sur le front. Coll. Ch. Le Corre.

Forces françaises de l'Intérieur (FFI), il n'en faut pas moins reconnaître un engagement significatif des enfants dans la Résistance.

Grâce à la nature irrégulière (asymétrique, devrait-on dire) de son combat, la Résistance a su tirer profit des compétences de tous : des jeunes adultes et des vieillards, des hommes et des femmes, des laïcs et des religieux… Et même des plus improbables guerriers : les enfants. Les uns deviendront des saboteurs, les autres des agents de renseignements ou des messagers. Certains espionneront ; d'autres, clandestins jusqu'en juin 1944, monteront des embuscades pour

En haut : **Hitler, en mars 1945, passe en revue de jeunes membres des Jeunesses hitlériennes qui viennent d'être décorés.**
© Akg-images/ullstein bild.

En bas : **Le général de Gaulle inspectant de jeunes Français, en 1940.** Avant de devenir des soldats, des centaines de jeunes évadés de France ont été regroupées en Angleterre dans des camps de jeunesse.
Coll. Ch. Le Corre.

Le Premier ministre britannique, Winston Churchill, recevant de jeunes Français devant le 10 Downing Street. « La voilà, la vraie France », se serait-il exclamé.
Coll. Ch. Le Corre.

l'attente des parachutages alliés. Tous prouveront que les plus jeunes fils et les filles de France étaient aussi prêts à se sacrifier pour que « la flamme de la Résistance française » ne s'éteigne pas.

Ce livre n'est pas une histoire de la jeunesse résistante française. Il rassemble les témoignages d'une douzaine de jeunes garçons et filles âgés de moins de 18 ans en 1940. Certains étaient même très jeunes : Jean-Raphaël Hirsch est né en 1933, Jean-Jacques Auduc et Ginette Marchais en 1931, Loïc Bouvard en 1929, René Vautier en 1928 ; eux n'avaient même pas 18 ans à la Libération. Aujourd'hui, à plus de 75 ans, tous ont accepté de relater ces années de peur et d'exaltation vécues dans la souffrance et l'espoir.

Le choix de leurs témoignages n'a rien à voir avec leur très jeune âge, leur sexe, leur courage au feu ou le nombre de décorations attribuées à l'un ou l'autre. Ce choix, certainement discutable, a été dicté par deux exigences.

D'une part, ces témoins devaient être vivants et en mesure de faire le récit com-

entraver la progression des renforts allemands vers la Normandie. Beaucoup tendront l'oreille devant le poste de TSF (télégraphie sans fil) ; quelques-uns scruteront le ciel dans

Les « Free French cadets ». Les cadets de la France libre ont rapidement été regroupés pour former l'embryon des Forces françaises libres.
Coll. Ch. Le Corre.

Les premiers soldats de la France libre ont joué aux couturières en cousant sur leur *battle-dress* leurs insignes et rubans tricolores.
Coll. Ch. Le Corre.

menté de leur engagement dans la Résistance. Certes, plus de soixante ans ont passé et la mémoire fait parfois défaut ; mais, à force de prudence, de rigueur et de confiance, les récits recueillis constituent des témoignages éclairants sur l'adhésion d'enfants à une cause d'adultes.

D'autre part, les récits retenus devaient illustrer et l'humilité des tâches confiées à certains et le sacrifice exigé à d'autres. Quelques-uns des témoins ont pris part à la reconquête de la France les armes à la main : c'est le cas de Georges Ollitrault, Reymond Tonneau, Louis Masserot ou encore Pierre Lebret. D'autres ont été agents de liaison ou espions, comme Jean-Jacques Auduc et Jean-Raphaël Hirsch. Certains ont distribué des tracts et des journaux clandestins. Pierre de Malvilain a relevé toutes les défenses côtières de la côte malouine. Ginette Marchais, lorsqu'elle n'écoutait pas les messages de la BBC (*British Broadcasting Corporation*), cou-

sait des brassards FFI. Théo Bohrmann, le plus jeune maquisard de Vabre, était dans l'intendance…

Beaucoup d'autres anciens « enfants résistants » se retrouveront dans ces récits. Les témoignages de Loïc Bouvard, de Louis Masserot, de Robert Suc… évoqueront, pour les uns, les servitudes de la clandestinité, pour les autres, la folie des combats ; mais, à tous ceux qui ont lutté entre 1940 et 1945, ils devraient rappeler la noblesse de la cause qu'ils défendaient et leur détermination à contribuer à la libération nationale.

À ceux qui n'ont pas connu la Seconde Guerre mondiale, ces témoignages feront découvrir l'humilité héroïque d'enfants qui ont eu la malchance de ne pas vivre une enfance pacifique. Puisse ce livre faire mieux mesurer la contribution, parfois ignorée ou trop vite oubliée, des « petites mains » de la Résistance.

Guy Môquet et son jeune frère, Serge, devant leur appartement en juillet 1939, à Paris.
© MRN, Fonds de la famille Saffray-Môquet.

Guy Môquet

Ce jeune résistant communiste a été fusillé par les Allemands à l'âge de 17 ans, le 22 octobre 1941. Fils d'un cheminot communiste devenu député, Guy Môquet a été arrêté le 13 octobre 1940, gare de l'Est, à Paris, lors d'une distribution de tracts. Emprisonné à Fresnes puis à Clairvaux, l'ancien élève du lycée Carnot est ensuite transféré à Châteaubriant (Loire-Inférieure, actuelle Loire-Atlantique). Malgré son acquittement, il y est détenu avec d'autres militants communistes. Le 20 octobre 1941, Karl Hotz, commandant les troupes d'occupation du département de la Loire-Inférieure, est exécuté à Nantes par trois jeunes communistes. Le ministre de l'Intérieur du maréchal Pétain, Pierre Pucheu, sélectionne alors les 50 otages réclamés par les Allemands parmi les détenus communistes : 27 sont pris à Châteaubriant, 18 à Nantes et 5 à Paris.

Guy Môquet est devenu le symbole de la jeunesse résistante. Son histoire ne doit, cependant, pas faire oublier celle des autres jeunes Français qui ont encore plus activement combattu l'occupant et qui, pour beaucoup, ont été déportés dans des camps de concentration. © SHD.

Deux jours plus tard, en trois groupes, les 27 de Châteaubriant sont fusillés à la Sablière, une carrière à la sortie de la ville. Dans sa lettre d'adieu aux siens, lettre désormais lue au début de chaque année scolaire dans les lycées de France, Guy Môquet écrivait : « Dix-sept ans et demi, ma vie a été courte, je n'ai aucun regret si ce n'est de vous quitter. » Son jeune frère, Serge, 12 ans, traumatisé par l'exécution de son aîné, ne lui survivra que de quelques jours.

Dernière lettre de Guy Môquet. Cette lettre adressée à sa famille fut écrite au camp de Choisel à Châteaubriant, le 22 octobre 1941, jour de son exécution.
© MRN, Fonds de la famille Saffray-Môquet.

Quimper

René Vautier
Les Éclaireurs de Quimper s'en vont en guerre

Décoré de la Croix de guerre à 16 ans, cité à l'ordre de l'Armée, René Vautier était membre du clan des Éclaireurs de Quimper, cité à l'ordre de la Nation pour faits de guerre. Cinéaste engagé, anticolonialiste, antimilitariste, René Vautier a réalisé de nombreux films. Parmi eux : Afrique 50 *(1950)*, Un homme est mort *(1950)*, Anneau d'or *(1956)*, Avoir vingt ans dans les Aurès *(1971)*, Frontline *(1976)*, Marée noire, colère rouge *(1978)... Il vit aujourd'hui à Cancale (Ille-et-Vilaine).*

Je suis né le 15 janvier 1928, à Camaret. À 9 ans, j'ai quitté Brest pour Quimper, où ma mère était institutrice dans une école de la ville, sur le bord de la route de Pont-l'Abbé. Elle était divorcée. Nous vivions à trois, avec mon frère aîné, Jean, qui avait 16 ans.

En 1939, mon père, que je n'avais pas vu depuis quelque temps, a été mobilisé. Il a été envoyé dans un casernement de Quimper, à 300 mètres de l'école de ma mère. Je suis allé lui rendre visite plusieurs fois ; ça a été mon premier contact avec la guerre. Chez nous, on ne parlait pas beaucoup de la Grande

Guerre. En revanche, dès que les Allemands sont arrivés, on a eu une réaction immédiate : il fallait faire quelque chose. Mon frère et quelques-uns de ses copains des Éclaireurs de France ont échafaudé un plan : ils projetaient de quitter la France en allant prendre l'avion à Pluguffan pour gagner l'Angleterre. Nous, les plus jeunes des Éclaireurs, on était six ou sept : il y avait Bob, Jojo... On a décidé de retarder les Allemands en barrant la route et en faisant des barrages. On a commencé à creuser des trous, des tranchées... Il fallait qu'on donne du temps à nos aînés pour qu'ils puissent s'envoler de l'aérodrome de Pluguffan. C'était complètement dingue, mais ça nous a marqués parce qu'on s'est fait tirer dessus par les premiers soldats allemands qui sont arrivés ; c'était en juillet 1940. Ils étaient en side-car, avec de grands cirés, un fusil-mitrailleur à l'avant du side-car. Impressionnant ! On a quand même décidé de continuer à balancer des cailloux. Quand ils ont vu qu'ils étaient immobilisés par des rochers sur la route et par des gamins qui leur jetaient des pierres, ils ont tiré en l'air. On a couru très

Les Lettres françaises

OCTOBRE 1942 — N°2

Crier la vérité!

Est-ce déjà l'automne avec ses asters et ses dahlias, et ses feuilles roussies par pla ce.a, sur les hêtres? Est-ce la mélancolie de l'automne sur l'asphalte tiède et les petites voitures des marchandes de quatre saisons pleines de fruits aussi beaux que des fruits de paix et si étonnants d'exister encore?

Là-bas, là-bas, à l'Est, des millions et des millions d'hommes dans le choc effroyable des tanks, dans le bruit- inhumain -qui a dépassé la zone où l'oreille humaine peut encore entendre- se jettent les uns sur les autres, en cet instant.

Une cloche sonne, ici et là. Et plus loin encore, se répondant d'un clocher à l'autre Un pigeon roucoule sur les arbes du jardin. Midi. Qui pourrait parler de la douceur de l'air...

Ici. Ici. Des milliers et des milliers d'hommes sont en prison ou dans les camps. Sais tu qu'ils ont deux louches d'eau de vaisselle à boire par jour pour tout breuvage, et deux cents grammes de pain pour toute nourriture? Et qu'un homme d'un mètre soixante-quinze ne pesait plus que trente kilogs? Il est mort tout à l'heure.

Un appareil de T.S.F. vaguement joue PELLEAS et MELISANDE. J'ai vu passer un train. En tête, un wagon contenait des gendarmes français et des soldats allemands. Puis, venaient des wagons à bestiaux plombés. Des bras maigres d'enfants se cramponnaient aux barreaux. Une main au dehors s'agitait comme une feuille dans la tempête. Quand le train a ralenti, des voix ont crié "Maman". Et rien n'a répondu que le grincement des essieux. Tu peux dire ensuite que l'art n'a pas de patrie. Tu peux dire ensuite que l'artiste doit savoir s'isoler dans sa tour d'ivoire, faire son métier, rien que son métier.

Notre métier? Pour en être digne, il faut dire la vérité. La vérité est totale ou n'est pas. La vérité les étoiles sur les poitrines l'arrachement à des enfants aux mères, les hommes qu'on fusille chaque jour, la dégradation méthodique de tout un peuple- la vérité est interdite. La douceur de l'automne? C'est pas la vérité, si tu oses en parler en l'isolant de l'espoir qui te la laisse encore. Pire, elle est un rideau de fumée cachant la vérité, masquant le crime, protégeant le criminel! Elle est complicité.

Or, que nous permet/désormais d'exprimer dans nos livres? Les écrivains allemands
Suite page 2.....

D'UN FRONT A L'AUTRE

Il y a huit jours, HITLER hurla que Stalingrad serait prise. Mais Stalingrad tient toujours. Et la Caspienne est encore loin, et Bakou encore plus loin et les passes du Caucase ne sont pas franchies. Mais le sang allemand coule à flots par d'effroyables blessures. Miracle?Non. Conséquence... le peuple qui se bat comme seuls se battent des hommes conscients de défendre mieux que la vie: tout ce qui rend la vie digne d'être vécue. C'est bien pour cela que Stalingrad rappelle tant Valmy qu'un DEAT, obsédé par cette idée, tente piteusement de prouver que l'esprit de Valmy se trouve du côté des armées de KRUPP, ROH LING, GOERING & Cie!

Déjà l'hiver pointe. On est émerveillé devant l'intelligence de la stratégie soviétique qui est passée de la tactique du recul défensif à la bataille d'arrêt au moment précis où l'armée allemande se trouvait dans une position stratégique difficile à tenir cet hiver.

C'est en effet un ordre du jour de STALINE qui annonce les premiers jours de septembre que la phase des reculs était
Suite page 2...

Un numéro d'octobre 1942 des *Lettres françaises*.
La littérature clandestine a souvent été distribuée par des lycéens.

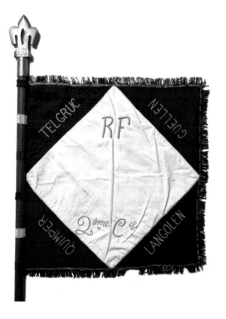

vite à l'abri… Ce fait d'armes n'a guère impressionné les gens du coin qui nous en voulaient d'avoir creusé des tranchées : ça allait attirer les avions allemands. Certains d'entre nous se sont pris des gifles et on a été condamnés à reboucher nos trous !

Les adultes n'étant pas d'accord avec nous, nous avons décidé que nous mènerions notre résistance nous-mêmes. Comme le lycée avait été réquisitionné par les Allemands, les élèves de 6e, 5e et 4e suivaient les cours de l'autre côté de la ville, route de Brest. Tous les matins, il fallait donc que je traverse toute la ville. C'est alors qu'on a eu une idée. Au début, c'était comme une plaisanterie : on déplaçait les poteaux indicateurs mis en place par les Allemands. Mais, quand les Allemands ont placé des sentinelles près des fameux poteaux de signalisation, on s'est pris au jeu et on leur a compliqué la vie autant qu'on pouvait. C'est à cette époque que j'ai trouvé des poèmes de Victor Hugo ; je me suis mis à les lire aux copains. C'était des poèmes de résistance, de lutte contre les Prussiens. Je trouvais ça bien. Quand on partait camper avec le groupe des Éclaireurs de

France qui continuait à fonctionner, je lisais aussi ces poèmes. Mon professeur de français m'a appelé un jour ; il s'appelait Xavier Trélu. Il m'a demandé pourquoi je lisais ces textes. Je lui ai répondu qu'il fallait qu'on appelle les gens à la résistance contre l'occupant. Il s'est alors arrangé pour que je reçoive les premières éditions de littérature clandestine, des textes des *Lettres françaises*. Je lisais ça dans la cour. Le groupe des Éclaireurs a ainsi été un petit peu éduqué dans cet esprit. Un jour, Xavier Trélu a disparu. On a appris qu'il était parti en Angleterre. C'était en 1942.

On a alors appris que les Allemands avaient tué des parachutistes qui avaient été largués le long de la côte. On n'a jamais su exactement ce qui s'était passé. Toujours est-il qu'on a pensé que ces paras étaient venus pour faire des relevés, dresser des plans des défenses côtières, étudier les zones de tir… Pourquoi pas nous ? En tant qu'Éclaireurs,

Ci-dessus, page de gauche en bas et page 16 :
Fanions et étendards du Clan des Éclaireurs de Quimper dont faisaient partie René Vautier, son frère Jean ainsi que quelques-uns de leurs amis. Avant la guerre, leur clan s'appelait « Clan René Madec ». Il a été cité à l'ordre de la Nation sous le nom de « Clan Roger Le Braz », du nom de son chef tué au combat en 1944. Le 8 octobre 1944, le fanion a été décoré de la Croix de guerre avec palme. © Musée de Bretagne.

Quatre photos du clan en action. Sur l'une des photos, on aperçoit bien les grenades allemandes passées à la ceinture de René (au centre) et de ses camarades. Coll. R. Vautier.

Tous les fanions du clan sont désormais abrités par le Musée de Bretagne, à Rennes.
© Musée de Bretagne.

quinze jours plus tard, il est revenu nous voir : « Bon, vous pouvez continuer ; soyez quand même plus discrets. » C'était en 1943. Philippot nous a même fourni du matériel, des compas par exemple. Ce qu'on ne savait pas, c'est qu'il allait devenir le chef des FFI du Sud-Finistère.

Un jour de mai 1944, tout le lycée a été fouillé par les Allemands. J'avais sur moi des relevés que je devais remettre à Philippot. Notre professeur de français, dont on apprendra qu'il était lieutenant dans les FFI, a protesté lorsque les soldats ont fait irruption dans la classe. Il a entraîné les officiers allemands chez le proviseur. Il est seulement resté un garde dans notre salle de classe, un vieux soldat. Les élèves ont commencé à chahuter. Moi, j'étais au premier rang. Je voulais me débarrasser des trois feuilles de relevés. J'ai plié deux feuilles pour en faire des bateaux et une pour en faire un avion. J'ai engagé la conversation avec le soldat en lui parlant des cuirassés allemands et de la *Luftwaffe* et en m'expliquant avec mes bateaux de papier. À la fin, j'en ai fait des boulettes que j'ai jetées par terre. Heureusement, car les officiers sont revenus et ont fouillé mon sac et celui d'André, un copain. Ils sont repartis les mains vides. Nous, à partir de ce jour-là, on n'a plus remis les pieds au lycée. On s'est cachés près d'Audierne, chez un certain Trividic. Comme on n'avait pas d'armes, on a projeté de piquer les revolvers des gendarmes locaux. À défaut, on a volé celui d'un *Feldgendarm* dans une salle de bal réservée aux Allemands. Un revolver et six balles qu'on n'a pas gardés longtemps puisque le frère de Jojo nous les a confisqués !

Près des casemates, on avait aussi repéré des dépôts de munitions. On s'est alors dit qu'il devait y en avoir d'autres en ville, que ça pourrait être utile d'avoir des munitions parce qu'on parlait de maquis... Nos aînés, dont Jean, mon frère, apprenaient déjà à se servir de mitraillettes, toujours grâce au fameux Philippot ! On a donc commencé à

on avait le droit de marcher le long de la côte : on pouvait aussi faire du renseignement. On a commencé à faire des relevés des angles de tir des casemates. Jusqu'au jour où le responsable du groupe nous a convoqués. Il s'appelait Albert Philippot. Il était professeur à l'école Jules-Ferry, c'est-à-dire le cours complémentaire qui était juste en face du lycée. Philippot nous a fait la leçon : « Vous faites des bêtises qui risquent de se retourner contre vous et contre beaucoup de monde. » On a eu beau lui expliquer nos activités, ça ne l'a pas convaincu. Il nous a demandé de lui remettre nos relevés. On a tout donné. Mais, piller des dépôts allemands en 1944. Au début, on piquait cinq ou six grenades ; à la fin, on y allait carrément avec des sacs ! On a ainsi pu fournir des grenades à Jean et à ses copains Éclaireurs et Routiers. On est aussi devenus des pourvoyeurs pour d'autres groupes de résistants. Fin juin 1944, on a failli se faire prendre, mon copain Bob et moi. Des Allemands nous ont pris en chasse, place de la Tour-d'Auvergne. Deux side-cars nous sont tombés dessus et nous ont coursés dans les rues. On a dû se séparer. J'ai réussi à me mettre à l'abri mais je n'avais pas de nouvelles de Bob. C'est alors qu'on m'a dit qu'un jeune avait été tué par des Allemands en side-car du côté de la gare. J'ai décidé de le venger.

Il y avait, à Quimper, des convois en transit. Ces camions quittaient Concarneau pour se rendre vers Brest ou vers la presqu'île de Crozon. J'ai pris mes grenades et j'ai « marché au canon », vers la sortie de la ville où les résistants tentaient de bloquer ces convois. J'ai attaqué un camion allemand en stationnement. J'ai balancé une grenade dans la cabine par le toit ouvert. Au même moment, un soldat allemand s'est redressé ; la grenade l'a touché à la poitrine avant d'exploser. J'ai vu ce que ça donnait… Du coup, je suis reparti.

Après, j'ai appris que Bob n'était pas mort du tout, qu'il me cherchait de son côté. J'avais conscience d'avoir tué. J'en ai parlé à Philippot. Lui et mon prof de français, André Monteil, qui commandait les FFI de Quimper et qui deviendra député MRP [Mouvement républicain populaire] du Finistère, ont décidé que nous, les plus jeunes, nous devions être épargnés, que nous devions éviter de tuer à 16 ans. Ils ont décidé de nous rattacher au commandement. Nous, c'était un groupe de vingt et un gars des Éclaireurs de France. On a donc continué comme approvisionneurs. Moi, de toute façon, je ne voulais plus du tout me servir d'une arme. Au total, sur les vingt et un jeunes du groupe, sept seront tués.

Je me suis fait coincer pour de bon pendant les combats pour la libération de Quimper. Au retour d'une expédition dans un dépôt, je m'étais réfugié avec un autre garçon dans un bâtiment de la préfecture auquel les Allemands ont mis le feu. On a été capturés. Je me suis retrouvé attaché à un tuyau dans la cave de la *Kommandantur*, passé à tabac (ils m'ont cassé deux dents) pour me faire taire ! J'ai réussi à m'évader pendant mon transfert vers la gare : j'ai sauté du camion et j'ai rejoint les copains qui ont eu du mal à me reconnaître tant mon visage était tuméfié.

Quand Quimper a été libéré, on a été rattachés à la 6e compagnie du bataillon FFI de Quimper, comme gardes de l'état-major. Philippot pouvait ainsi nous avoir à l'œil. C'était l'époque où les combats se poursuivaient entre le Menez Hom et Brest. Les accrochages étaient fréquents entre FFI et Allemands. Un jour, le PC [poste de commandement] a été encerclé et investi. L'état-major a dû se replier. Nous, ce jour-là, on servait de vigies du haut d'un clocher. On est restés là-haut pendant toute une journée. Les copains nous avaient oubliés !

C'est pendant cette période de combat, en août, qu'a eu lieu le bombardement de Telgruc, près de Crozon. Les canons allemands qui tiraient vers l'intérieur des terres devaient être détruits. La mission a été confiée aux FFI, appuyés par des chars américains. Le 3 septembre, ils ont progressé mais l'aviation américaine ne le savait pas. Il y a donc eu un bombardement de Telgruc. Nous, on était restés bloqués à 5 ou 6 kilomètres, à

Trois des scouts de Quimper tombés au combat : (de gauche à droite) Lili Hentic, Roger Le Braz et Robert Grandjean.
Coll. R. Vautier.

cause d'une panne de camion. Ce qui nous a sauvé la vie. Les bombes des *B-17* ont tué 52 civils, 25 FFI et 11 soldats américains. Trois Éclaireurs, dont Roger Le Braz, le chef du clan, ont été tués ce jour-là au cours du bombardement, qui a fait beaucoup de victimes civiles. À partir de ce jour-là, le clan des Éclaireurs a changé de nom. Il s'appelait le « clan René-Madec » et il est devenu le « clan Roger-Le Braz ». C'est sous ce nom qu'il a été cité à l'ordre de la Nation.

Pour moi, ce bombardement marque la fin de la guerre. On est rentrés pour enterrer les gars à Quimper. Le chien de Roger Le Braz a suivi le cercueil de son maître.

J'ai alors été démobilisé, cinq jours avant de passer la fin des épreuves du premier bac. J'avais déjà passé deux épreuves, français et latin, le 6 juin 1944 ; j'ai été reçu avec la mention « bien ». Mon année de philo a été détestable. Je n'aimais pas les cours de philo. Je séchais souvent mais j'avais une bonne raison : j'étais « en mission ». En fait, j'étais le porte-drapeau du clan. On m'appelait dès qu'il y avait une inauguration d'une rue qui portait le nom d'un résistant.

Je suis ensuite entré à l'Institut des hautes études cinématographiques. J'avais passé le concours d'entrée en 1946. Je suis alors parti pour Paris. Sans jamais perdre de vue les copains du clan, j'ai commencé une carrière de cinéaste.

René Vautier, en 2007, chez lui à Cancale. Le scout est devenu un cinéaste engagé.
Photo Ph. Chapleau.

Le scoutisme : une école de la Résistance

Tous les jeunes résistants français n'étaient pas Scouts mais de très nombreux Scouts français, qu'ils aient appartenu à des organismes israélites, protestants, catholiques ou laïques, ont joué un rôle décisif dans le combat contre l'occupant. « Beaucoup de Scouts ont rejoint la Résistance, résumait un Finistérien de 64 ans, ancien Scout, dans un forum de discussion sur Internet, en août 2006. Le cadre était idéal : ils étaient jeunes, ils se connaissaient, ils pouvaient se faire confiance et ils étaient déjà engagés. » René Falavel, âgé de 14 ans au début de la guerre, se souvient que, sur la soixantaine d'Éclaireurs de son groupe de Scouts unionistes, « douze sont morts pour leur action de résistance. Vingt-cinq ont été reconnus comme résistants mais tous ne se sont pas déclarés ».

Le scoutisme, « incomparable vecteur de responsabilité et de générosité, au sens du plus pur humanisme », selon Pierre Juvin dans sa postface au livre de Reymond Tonneau, a certainement constitué une exceptionnelle école de résistance pour des jeunes qui refusaient l'Occupation et voulaient faire revivre l'idéal démocratique. D'une part, l'idéal scout a pétri une génération de jeunes combattants de la liberté, forgeant leur loyauté, développant l'entraide, imposant une culture du partage. D'autre part, la formation scoute, dans ses aspects les plus pratiques, a préparé des générations d'adolescents à la vie en campagne et à la clandestinité. Guy de Rouville, l'un des chefs du maquis de Vabre et Éclaireur unioniste, résume bien ce que le scoutisme a développé chez les jeunes de 1940 : « C'est toute la culture scoute qui nous a permis de nous débrouiller en clandestinité mais elle est aussi à l'origine de tout ce que nous avons fait. »

Dans un parc de Paris, des scouts creusent une tranchée-abri.
« *On n'improvise pas les actes héroïques, Ils sont le résultat d'un long labeur stoïque* », dit un poème scout.
L'Illustration, 16 septembre 1939.
Coll. Ch. Le Corre.

22 juillet 1946, Edmond Michelet, le ministre des Armées, épingle la médaille de la Résistance sur le fanion du clan « Guy de Larigaudie » de Belfort. Coll. D. Varry.

L'action de ces adolescents a dû profondément marquer la jeunesse de l'après-guerre. Si, en 1939, on recensait 93 985 Scouts français, en 1947, ils étaient 211 727 ! Aujourd'hui, le sacrifice des Guides, des Éclaireurs et des Routiers engagés dans la Résistance est souvent oublié. Pourtant des centaines de stèles et de monuments témoignent de leurs actions et de leur bravoure. Le Mémorial national des Scouts morts pour la France rassemble et archive tous les documents qui rappellent le lieu et l'histoire du sacrifice de ces jeunes Français. Ce Mémorial peut être consulté sur le site de l'Association nationale des Scouts français anciens combattants : www.ansfac.asso.free.fr.

Des scouts belfortains de la 1re Giromagny au Baerenkopf, le 21 avril 1938. Le scoutisme belfortain est né en 1929.
Coll. D. Varry.

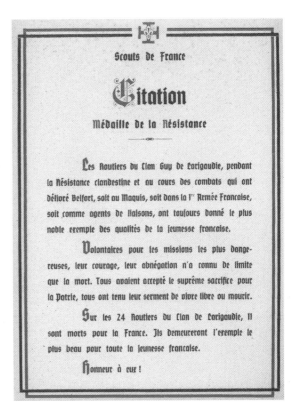

Scouts de France

Citation

Médaille de la Résistance

Les Routiers du Clan Guy de Larigaudie, pendant la Résistance clandestine et au cours des combats qui ont délivré Belfort, soit au Maquis, soit dans la Ire Armée Française, soit comme agents de liaisons, ont toujours donné le plus noble exemple des qualités de la jeunesse française.

Volontaires pour les missions les plus dangereuses, leur courage, leur abnégation n'a connu de limite que la mort. Tous avaient accepté le suprême sacrifice pour la Patrie, tous ont tenu leur serment de vivre libre ou mourir.

Sur les 24 Routiers du Clan de Larigaudie, 11 sont morts pour la France. Ils demeureront l'exemple le plus beau pour toute la jeunesse française.

Honneur à eux !

Le clan Guy-de-Larigaudie

Le clan Guy-de-Larigaudie a reçu, à titre collectif, la Médaille de la Résistance. Le fanion de ce groupe de Scouts de France de Belfort a été décoré le 21 juillet 1946 par le ministre Edmond Michelet.

Le scoutisme belfortain est né en 1930. Six ans plus tard, on comptait quatre groupes et un clan, le clan Charles-de-Foucauld qui avait été créé en 1934. La défaite de 1940 allait désorganiser les Scouts de Belfort mais, vite, des unités se sont reformées, tout à fait clandestinement. Sous l'impulsion de l'abbé Pierre Dufay, aumônier au lycée, un clan s'est organisé en 1942 ; il a pris le nom de Guy de Larigaudie, tombé au champ d'honneur. L'abbé Dufay, aumônier, animateur de clan, était aussi un résistant actif dans l'Organisation de résistance de l'armée (ORA). Il allait donner l'impulsion. Les jeunes se mirent alors à explorer la région de Belfort, à dresser des relevés dans la région des crêtes, à acheminer des documents ou du matériel parachuté. En septembre 1944, devançant l'arrivée des troupes alliées, la résistance belfortaine est passée à l'attaque. Mal équipés, les résistants allaient subir de lourdes pertes. Sur huit cents hommes, plus de cent allaient être tués ; d'autres furent arrêtés et déportés. Les survivants durent attendre le mois de novembre pour pouvoir reprendre le combat au sein des Forces françaises libres et de la 1re armée française. L'abbé Dufay, qui avait intégré la brigade Alsace et avait été nommé commandant, fut tué sur le front d'Alsace, le 31 décembre 1944. Sur les vingt-quatre Routiers du clan, dix autres tombèrent, soit dans la Résistance, soit dans les FFL. Une plaque apposée à la citadelle de Belfort rappelle leur sacrifice.

Le décret du 24 avril 1946 rappelle que 11 routiers du clan sont morts au combat. Parmi eux figurait l'abbé Pierre Dufay (ci-dessus à gauche). Aumônier des scouts, il est devenu le chef du groupement FFI de Belfort et a été tué en service commandé le 31 décembre 1944.
Coll. D. Varry.

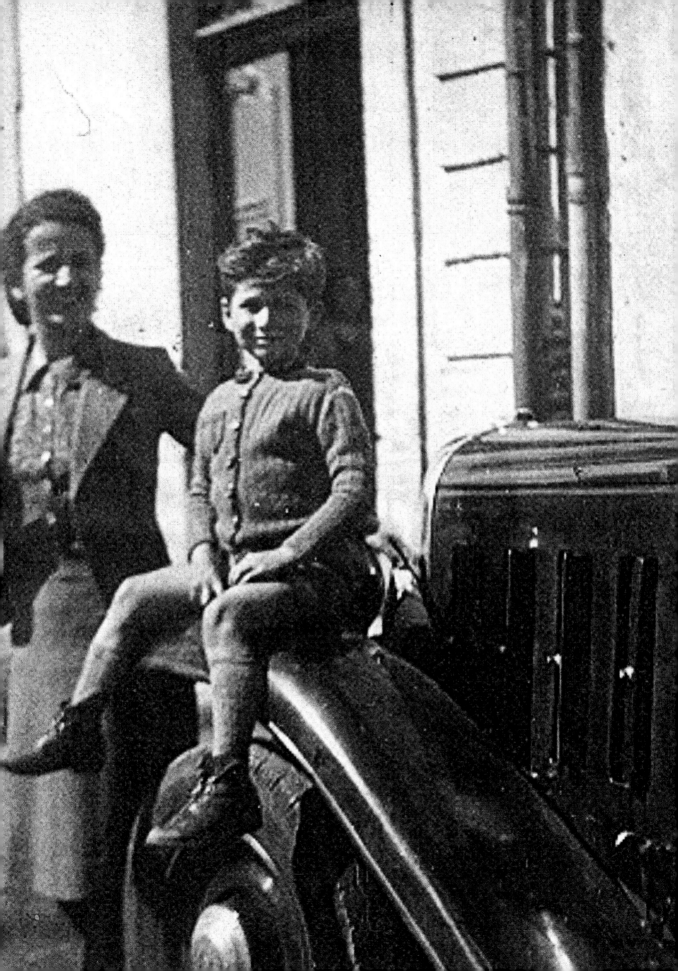

Jean-Raphaël Hirsch
« Nano », agent de liaison à 9 ans

Moissac

Jean-Raphaël Hirsch, dit « Nano », est né le 6 septembre 1933, à Paris. En 1942, allongés dans le ventre d'une locomotive, Jean-Raphaël et sa mère rejoignent le Tarn-et-Garonne. Le docteur Sigismond Hirsch y organise le regroupement d'enfants juifs pour les sauver de la déportation. Quatre cents jeunes échapperont ainsi aux griffes des nazis. Du fait qu'un enfant attire moins l'attention, le docteur Hirsch charge le jeune Jean-Raphaël d'aller prendre des contacts avec des Juifs en fuite ou avec des réfractaires, de leur apporter des papiers, des cartes de rationnement. C'est le début d'une belle et tragique aventure en Résistance.

J'ai joué un rôle modeste dans une famille très résistante.

En 1940, les Allemands envahissant la France. Les premières lois antisémites étant votées dès août, toute ma famille s'est engagée dans des actions de résistance. C'était une famille de médecins et d'assistantes sociales, avec de fortes convictions. Une famille juive, de surcroît violemment engagée en faveur du sionisme. C'étaient des gens qui vivaient dans une tradition de massacres et qui se disaient : « On s'est toujours fait massacrer. Si on avait un pays où on pouvait avoir des armes, au moins, on mourrait les armes à la main. »

Mes parents, Juifs à l'idéal sioniste, évoluant dans les milieux médicaux et sociaux, se sont donc posé la question : « Qu'est-ce qu'on fait ? » Mon père, exempté de service militaire pour raisons de santé, s'est alors porté volontaire et a rejoint l'armée comme médecin. Je me souviens, il est parti avec la

Les parents du futur « Nano » : Berthe et Sigismond. Sigismond Hirsch est arrivé en France en 1926. Il avait quitté sa Roumanie natale pour étudier à Paris. Coll. J.-R. Hirsch.

Page de gauche : **Jean-Raphaël Hirsch en compagnie de sa tante Élizabeth à Moissac, en décembre 1940.** Le jeune Parisien avait déjà franchi la ligne de démarcation à deux reprises. Il allait bientôt être « recruté » par son père comme agent de liaison. Coll. J.-R. Hirsch.

Sigismond Hirsch dans son uniforme de capitaine FFI.
Deux fois décoré de la Croix de guerre, fait héros de l'Union soviétique, grand officier de la Légion d'honneur, il ira défendre l'État d'Israël à deux reprises.
Coll. J.-R. Hirsch.

traction avant familiale dont il enlèvera tous les sièges pour en faire une ambulance et évacuer de son hôpital presque encerclé des soldats blessés ; ça lui vaudra d'ailleurs sa première Croix de guerre.

Mon père, Sigismond Hirsch, était né en Roumanie, où l'antisémitisme était déjà violent. Il avait été éduqué dans des écoles où l'on parlait allemand (ça lui sauvera la vie plus tard). Il est arrivé à Paris, en 1926, suite à une bagarre qui lui avait valu un traumatisme crânien. Ses parents avaient alors décidé de l'envoyer faire ses études de médecine en France, le pays de la Révolution ! Il a été à l'origine des Éclaireurs israélites de France, avec son ami Robert Gamzon. Ce mouvement jouera un rôle décisif pendant la guerre. Ce n'était pas des extrémistes, mais des gens extrêmement déterminés. Tout d'un coup, le Juif qu'on décrivait alors comme maigrichon, craintif, apparaît transformé. On voit de jeunes gars qui, contre l'avis du Consistoire, font de la culture physique, qui se mettent au soleil, qui montrent leurs mollets et qui défilent au pas cadencé en chantant des chants hébreux. Ces jeunes étaient de futurs soldats ; ce seront des gens qui rejoindront les maquis de la zone Sud, comme celui de Vabre qui libérera Castres, Mazamet…

Mon père fait des études de médecine ; il devient médecin en 1933. Mais, comme il n'est pas naturalisé, il ne peut pas exercer en France. C'était l'époque où la crise économique de 1929 se faisait encore sentir. Les Français, Juifs et non-Juifs, acceptaient mal les étrangers, ces métèques qui prenaient leurs emplois. Lui aspirait à être Français ; il adhérait aux valeurs françaises ; il était prêt à défendre ce qu'il pensait être le plus beau pays du monde, même s'il croyait en un pays à venir, le pays de « l'an prochain, à Jérusalem ». Finalement naturalisé, sa reconnaissance pour la France sera immense.

La guerre lui donne l'occasion de rendre ce qui a été donné… Il se porte donc volontaire. La tourmente allemande le force à se replier après avoir décroché sa Croix de guerre 1939-1940. Comme une partie de la France, il va vers Bordeaux, toujours en traction. Ma mère et moi étions déjà dans le Tarn-et-Garonne, repliés justement avec un groupe des Éclaireurs israélites de France. Nous avions rejoint, à Moissac, ma tante Élizabeth Hirsch, une héroïne de la Résistance qui sauvera de nombreux enfants juifs, et sa sœur, Charlotte « Shatta » Hirsch qui tenait la première « maison d'enfants » ouverte en décembre 1940.

Parmi tous ces gens qui se retrouvent, les opinions varient. Certains soutiennent qu'il faut rejoindre de Gaulle ; d'autres disent : « Je rentre chez moi et j'attends » ; quelques-uns décident de passer en Afrique du Nord ou en Palestine. Mon père et son beau-frère Édouard Simon, le mari de Shatta, considèrent, eux, qu'il faut que des gens restent en France pour créer une résistance et pour cacher les jeunes. Les jeunes ? C'est-à-dire les enfants des Juifs français mais aussi des garçons et des filles réfugiés avant la guerre, de jeunes Juifs étrangers, allemands en particulier. Leurs parents avaient assisté à la montée du nazisme et les avaient envoyés en France. Lors de leur arrivée en France, ces jeunes de 15 ou 16 ans ont été recueillis par deux ou trois institutions de la communauté juive, essentiellement l'Œuvre de secours aux enfants et les Éclaireurs israélites de France. Ces organisations vont être l'embryon d'abord d'un accueil, au jour le jour, puis de maquis où ces jeunes garçons vont se regrouper. Ces garçons et ces filles, qui ne parlaient pas le français, allaient être très difficiles à cacher. Mais ils étaient intelligents et disciplinés. Ils allaient entrer en résistance, pas par mérite mais par nécessité vitale.

Avec Robert Gamzon, mon père décide de regrouper les jeunes, de les cacher et d'assurer une certaine éducation. Voilà comment commence l'histoire des enfants cachés. Je serai l'un d'eux.

De Jean-Raphaël Hirsch à Jean-Paul Pelous

Démobilisé, mon père doit se remettre au travail. Nous rentrons donc à Paris, début 1941. Ce sera mon premier acte illégal : je quitte la zone Sud pour gagner la zone Nord. Je passe la ligne de démarcation caché dans un tender à charbon.

Le Paris de l'époque est étrange ; c'est un Paris quasi vide, beau, magnifique mais avec

PARIS

La sixième colonne

Paris occupé.
Le dessinateur Chancel, chef du réseau Phratrie, dénonce les pénuries en faisant allusion à la fameuse 5e colonne. Le tableau date de l'hiver 43-44.

de moins en moins de voitures, avec des vitrines soudain vides puis avec des queues interminables… L'enfant que je suis est devant un désastre. Les adultes vivent dans une inquiétude maximale. Ils ne savent pas comment sera demain, ils ne savent pas ce qu'ils doivent faire. Ils sont complètement perdus. L'autorité ? Entre un maréchal qui dit quelque chose et un colonel condamné à mort qui dit le contraire, personne ne sait trop que faire. Les enfants sentent bien que les adultes sont en incertitude, en inquiétude, voire en lâcheté. L'enfant perçoit nettement que les parents déguisent la vérité. Non seulement la désorganisation est totale, non seulement il y a une incertitude, même chez les plus déterminés, mais en plus les parents mentent. Ils disent de ne pas poser de questions, qu'il faut que les enfants en sachent le moins possible. L'enfant n'est pas dupe : à une époque où il s'éveille et demande des choses à ses parents, il commence à analyser la situation et se demande quelles valeurs il doit faire siennes.

Étoile jaune en tissu.
© Centre d'Études
et Musée Edmond-Michelet,
ville de Brive-la-Gaillarde.

À la maison, c'est pareil. Les adultes chuchotent. Ma mère, Berthe, m'annonce que je vais devoir porter une étoile jaune. Qu'est-ce que c'est que cette histoire ? Elle la coud en chantonnant, pour m'apaiser, et me disant que je dois en être fier. À l'école, je découvre que mon voisin ne veut plus s'asseoir près de moi. À la récré, d'autres élèves s'en prennent à moi, « le perfide Juif qui a crucifié le petit Jésus ».

L'ambiance d'alors est donc particulière. Mon père est bientôt obligé de ne plus dormir à la maison parce que son réseau est déjà traqué et que beaucoup de ses membres seront précocement capturés. Nous-mêmes devons commencer à aller coucher chez des amis. Mon père, qui m'avait dit « Ne te rends jamais. Si tu es dans une situation d'agression, tape le premier. Ne renie jamais ce que tu es », m'annonce un beau jour : « Demain, tu t'appelles Jean-Paul Pelous. » Ma réaction est immédiate : « Papa, tu m'as appris à ne jamais mentir. Je ne suis pas Jean-Paul Pelous. — C'est comme ça », m'enjoint-il.

En 1942, l'antisémitisme se faisant plus virulent, la répression s'intensifiant, la famille décide de repartir pour le Tarn-et-Garonne. Mon père part le premier pour Moissac. Il va créer le secteur d'Auvillar et sauvera 400 jeunes de la déportation. Quelques jours avant les grandes rafles de juillet 1942, ma mère, enceinte de sept mois, et moi, nous franchissons la ligne de démarcation, non plus dans un tender à charbon, mais dans le ventre d'une locomotive BB électrique, tout près du solénoïde qui a craché des étincelles pendant tout le voyage de Paris à Montauban. C'était effrayant. À Vierzon, les Allemands ont inspecté la locomotive ; je vois encore leurs bottes. À Montauban, le train a ralenti avant d'entrer en gare et nous avons sauté sur les rails pour échapper aux patrouilles allemandes.

Nous rejoignons Moissac puis Auvillar. C'est alors que va commencer mon action propre de résistant, si l'on veut bien accorder ce mot pour un enfant qui n'est pas très

À gauche :
La supérieure du couvent d'Auvillar, sœur Placide. Jean-Raphaël y a été « planqué » par la Résistance après la capture de ses parents.
Coll. J.-R. Hirsch.

La ligne de démarcation.
Pour la franchir, il fallait des papiers en règle, des laissez-passer… Sinon, il fallait tenter sa chance, à travers champs, ou dans le ventre d'une locomotive, comme Jean-Raphaël. © Musée d'histoire contemporaine - BDIC.

Trois Éclaireurs israélites de France, le mouvement créé par Robert Gamzon (dit Castor soucieux) : Latzi Erdos, Sigismond Hirsch et Ferri.
Ce mouvement scout a fourni de nombreux cadres et combattants à la Résistance. Dans le Sud-Ouest, plusieurs maquis juifs ont activement participé à la lutte contre l'occupant. Robert Gamzon commandera d'ailleurs la 2e compagnie du maquis de Vabre, unité qui combattra vaillamment en août 1944, lors de la libération de Castres.
Coll. J.-R. Hirsch.

conscient de ce qu'il fait mais que l'on exploite. Oui, mon père m'a exploité, je dois dire *(rires)*. Je ne lui en veux pas du tout. Mon père a donc pour mission de cacher des jeunes qui ont échappé aux rafles et dont les parents ont été internés. Ces garçons et ces filles sont acheminés vers la zone Sud, regroupés à Moissac puis disséminés dans des fermes où ils vont travailler, gratuitement il faut bien le dire, et souvent remplacer des maris, des frères prisonniers… C'est l'époque où l'ambiance change en France : la zone Sud est envahie par les Allemands et la pression à laquelle nous sommes soumis est encore plus forte ; les Allemands subissent un échec à Stalingrad et les gens commencent à se dire qu'il n'est pas évident que l'Allemagne gagnera la guerre ; enfin, le STO [Service du travail obligatoire] est mis en place, ce qui provoque l'arrivée de réfractaires dans les maquis qui commencent à se peupler.

Un enfant en vélo attirant peu l'attention, mon rôle à moi est de faire la liaison entre les groupes éparpillés dans les fermes et la « maison des enfants » de Moissac. Je deviens donc

un agent de liaison à 10 ans. C'est un travail de chien, mais c'est essentiel. Je ne dois surtout pas me faire remarquer, alors que je sillonne le terrain. Je suis chargé de porter les messages camouflés dans le cadre de mon vélo. J'apporte aussi du ravitaillement, dont de la viande qu'Henri Lartigues fournissait en cachette. C'est un bel homme, garçon boucher qui avait été à Paris. Il avait son propre abattoir à Auvillar. Quand on abattait du bétail, les Allemands prélevaient de la viande. Il fallait donc abattre les animaux dans la clandestinité, la nuit. C'était risqué, celui qui était pris était fusillé. J'allais, la nuit, faire de l'abattage clandestin. C'était un petit abattoir en briques, très isolé, qu'on éclairait à peine, situé près du cimetière. Imaginez l'ambiance pour un gamin qui est arrivé à vélo, vers quatre heures du matin, qui va assister à l'abattage et parfois donner un coup de main, avant d'ensuite acheminer des quartiers de viande aux groupes de Juifs et de réfractaires du STO. Je leur apportais aussi des tickets de rationnement. Je transportais, enfin, des papiers d'identité destinés aux nouveaux arrivants. Nous étions devenus experts dans la fabrication de fausses cartes d'identité : on faisait des cachets à l'envers en creusant dans des gommes, on faisait des tampons…

Seul après l'arrestation de Sigismond et Berthe Hirsch

Le 18 octobre 1943, mes parents sont arrêtés, dénoncés par un certain Chauvet. Ils étaient installés à 7 kilomètres du bourg d'Auvillar, dans un petit manoir bien isolé, avec un parc en pente qui pouvait servir pour fuir. Un matin, la Gestapo se présente au manoir. Moi, je ne suis pas là. J'ai couché au village après un cours de piano chez monsieur le curé. Normalement, le chien, Dick, aboyait dès que quelqu'un arrivait ; mais ce jour-là Dick a rompu sa corde et est allé faire un tour. Ce chien tout roux, avec une queue touffue, m'avait été donné par un jeune Juif, Armand, qui avait quitté le groupe pour tenter de retrouver sa mère, à Paris. Le camion et la traction sont donc arrivés sans être remarqués.

Les Allemands surprennent mes parents au lit. Mon père attire leur attention sur lui en se jetant par la fenêtre. Il est rattrapé, mais ma mère a eu le temps de détruire les listes des jeunes et d'autres documents. Ma mère, mon père et deux de leurs collaborateurs sont pris. Moi, je suis en route vers le manoir. Soudain, un de nos gars s'interpose : « Ton père te dit de redescendre au village et d'y rester. » À cette époque, on ne discutait pas les ordres. C'est le remords de ma vie, de ne pas être remonté et d'avoir rameuté quelques-uns de nos gars pour tenter de les libérer. Mes parents seront emmenés à la prison Saint-Michel de Toulouse, puis à Auschwitz par le convoi 62. Sur 1 600 personnes, il en reviendra 7. Dont mon père. Mais pas ma mère.

Où me cacher ? Les Allemands me recherchaient pour me faire parler. Je savais beaucoup de choses. On me cache au couvent d'Auvillar. C'était un couvent tenu par des religieuses belges où on accueillait des triso-miques et de grands épileptiques. Je suis affublé d'une chasuble ; j'apprends à sonner vêpres et mâtines. Les Allemands viendront pour perquisitionner, mais la vue des malades les écœure et ils n'insistent pas.

Au bout de quelques jours, on m'emmène à Cahors, dans une chambre de bonne. Puis je suis évacué dans les Bouches-du-Rhône, chez le docteur Jean Daniel. Un homme extraordinaire, qui a déjà trois enfants qu'il a bien du mal à nourrir, et qui est dans la Résistance. À ce moment-là, début 1944, la guerre se rapproche. Les bombardements se multiplient. Je me souviens d'avoir creusé une espèce de tranchée pour que la famille s'y réfugie.

Sentant qu'il va être pris, celui qui deviendra un Juste parmi les Nations en 1989 nous fait quitter Le Puy-Sainte-Réparade et nous emmène tous dans les collines, dans le maquis. Autour de moi, cette fois, les partisans ont des armes ; on sent que la défaite allemande se précise. Une fois dans les collines, je redeviens agent de liaison. Une fois, envoyé au village, je tombe nez à nez avec des soldats allemands, des guerriers baraqués qui pointent leurs armes sur moi mais me laissent passer.

Après le débarquement de Provence, la guerre est encore plus présente. Il y a des combats de chars, des bombardements.

Le débarquement allié en Provence, en août 1944.
Les troupes franco-américaines ont bénéficié de l'aide des maquis de Provence et des Alpes qui ont freiné la progression puis la retraite allemande.
© Photo CIRPA-ECPA, Mémorial du débarquement de Provence.

« Nano » ne retrouvera son nom et son père qu'en 1945. Il avait rejoint Moissac à l'automne 1944 après avoir aidé le docteur Daniel, médecin résistant et futur Juste parmi les nations.
Coll. J.-R. Hirsch.

Comme il fait très chaud, le feu prend aux collines et nous voilà encerclés, des maquisards, des parachutistes américains, par les flammes. C'est là que j'ai appris à faire un contre-feu. C'est là aussi que j'ai soigné pour la première fois. Il y avait beaucoup de blessés. J'ai servi d'infirmier au docteur Daniel. C'est là, peut-être, que j'ai pris goût à la médecine.

En septembre, je suis retourné à Moissac, avec mon oncle qui avait survécu. Le voyage a été difficile. Tous les ponts avaient sauté. Il fallait attendre une barque, marcher, profi-ter d'une charrette… J'ai retrouvé ma tante Shatta qui ne m'a pas dit un mot sur mes parents. On ne savait rien sur leur sort.

Je retrouverai mon père en mai 1945, déporté de 40 kilos, capitaine FFI, deux fois décoré de la Croix de guerre, héros de l'Union soviétique pour avoir soigné des soldats russes. Il avait réussi à survivre à Auschwitz, à ne pas périr pendant la longue marche des survivants. En attendant son retour, j'ai repris la route de l'école. Je m'y suis inscrit sous le nom de Jean-Raphaël Hirsch.

Sigismond Hirsch (à droite) lors d'une remise de décoration. Le médecin-résistant a réussi à sauver 400 jeunes de la déportation et à survivre à l'internement. Mais sa captivité l'a physiquement éprouvé. Coll. J.-R. Hirsch.

À 75 ans, Jean-Raphaël Hirsch n'a rien oublié de ces années sombres et obsédantes. S'il est fier de sa participation à la lutte contre l'ennemi nazi, il considère avec humilité son engagement :

J'ai réfléchi sur cet engagement. Il est moins méritant, peut-être, d'entrer en résistance quand votre vie est menacée ; si vous n'êtes pas en danger, vous pourriez certainement trouver de bonnes raisons pour rester chez vous, tranquille, au chaud, à attendre de voir comment les choses vont évoluer…

En 1967 (guerre des Six-Jours) et en 1973 (guerre du Kippour), lors de ces deux conflits qui ont embrasé le Proche-Orient, Jean-Raphaël, alors chirurgien, a pris la route d'Israël pour y soigner les soldats blessés. Son existence française n'était pas directement menacée mais il a choisi d'être fidèle à l'idéal sioniste de la famille Hirsch et de contribuer à la lutte pour la survie de l'État d'Israël. Le docteur Sigismond Hirsch, redevenu radiologue après la Seconde Guerre mondiale, a accompagné à chaque fois ce fils qui, bien qu'exempté de service militaire en tant que pupille de la Nation, a tenu à effectuer vingt-huit mois de service.

Jean-Raphaël Hirsch, à Paris, en 2007.
Photo Ph. Chapleau.

Genillé

Ginette Marchais
La bergère qui écoutait Londres

Ginette Marchais avait 12 ans lorsqu'elle a été recrutée dans la Résistance par James Thireau, un employé de son père. Dix ans les séparaient mais la guerre les a réunis. Ginette est devenue Mme Thireau en 1948. Son action, discrète, lui a valu la Croix de guerre. Récit à deux voix.

Ginette : Je suis née le 26 mars 1931, à Mouzay, en Indre-et-Loire. C'est une petite commune à proximité de Loches. Mes parents ont déménagé à Genillé, une autre commune également près de Loches quand j'avais 15 mois. C'était en 1932. Mes parents étaient cultivateurs à La Crépinière.

Mon père était né en 1905. Il n'avait pas fait la guerre de 14-18. Mes grands-parents habitaient à Loches, on les voyait une fois de temps en temps. Si bien qu'on n'en parlait pas, de cette guerre. Le père de mon mari, lui, avait été fait prisonnier par les Allemands. « Ça motive », comme dit mon mari. Mais, chez nous, ce n'était pas un sujet qu'on abordait souvent. Mon premier contact avec les Allemands date de 1940. Des soldats allemands se sont arrêtés dans la cour de notre ferme. Ils y ont passé une nuit. Ils nous ont donné des bonbons, ils ont joué de la musique. Ils sont repartis le lendemain, sans un geste ou un mot déplacé. Avant, des soldats français qui se repliaient avaient aussi fait halte chez nous. Eux avaient tenté de forcer la porte de la cave ! Les Allemands ont été très corrects. À l'époque, ils étaient encore gentils.

James : Je suis né le 23 juin 1921. J'ai perdu ma mère très tôt ; mon père s'est rema-

rié et il est allé habiter à Brest puis à Nantes. En 1939, j'habitais chez mes grands-parents Cherouvrier, à Couasnay, un hameau près de Genillé. J'y voyais des officiers du 32ᵉ bataillon d'infanterie de l'Armée d'armistice. Ils parlaient déjà de revanche. Le 11 novembre 1941, j'ai été appelé au service obligatoire. J'ai passé huit mois dans un Chantier de jeunesse à Renaison, dans la Loire. Je me suis fait remarquer en arrivant au camp. On nous a fait passer des tests. On nous a demandé ce qu'on pensait de l'Occupation. J'ai dit ce que je pensais vraiment. Ça m'a valu d'être appelé par les chefs : « Jeune Thireau, sortez des rangs ! » On était trois. On se demandait bien ce qui allait nous arriver. On a pensé aux tests. En fait, on avait les mêmes idées : on était contre l'Allemagne. Le capitaine m'a demandé de lui expliquer mes opinions. Il m'a mis en garde en me disant de garder mes idées pour moi. Deux ou trois jours plus tard, on m'a mis dans un bureau ; ça ne me plaisait pas. Je suis retourné voir le capitaine : « C'est pas ma place. J'ai soigné des cochons toute ma vie. » Je me suis retrouvé à la reliure ! Je n'y connaissais rien. Alors, on m'a envoyé aux cuisines. Après un accrochage avec un des chefs, j'ai été expédié à Saint-Germain-l'Espinasse, pour remplacer le cuisinier qui était en prison. J'ai fait les 28 kilomètres dans la neige. Le surlendemain, un officier m'a pris à part. Il avait envie d'en savoir plus sur mes idées et mon envie de résister. Il s'appelait Rigault. J'ai passé sept mois avec lui, au Chantier de Saint-Germain-l'Espinasse. Tous les jours, il me formait

Page de gauche :
Ginette Marchais recevant la Croix de guerre.
Elle avait alors 15 ans. La jeune fille avait été recrutée alors qu'elle avait 12 ans par celui qui allait devenir son mari. Ses activités au sein de la Résistance ont permis au maquis de la région de Loches d'organiser, avec succès, de nombreux parachutages.
Coll. G. et J. Thireau.

à mes futures fonctions : recrutement, liaison, parachutage, espionnage… Il m'expliquait les principes, les missions, les risques…

Au mois de juin 1942, j'ai quitté le Chantier et je suis retourné chez mes grands-parents, à Genillé. Le capitaine Rigault a déménagé à Valençay. C'est un bourg à 35 kilomètres de Loches, dans l'Indre. Il voulait continuer à me former. Je le rencontrais plusieurs fois par semaine. C'est à cette époque que j'ai rejoint le réseau Écarlate. Quand ce réseau a été démantelé et son chef déporté, je suis passé au réseau Vengeance, alors dirigé par l'abbé Péan. On cachait des réfractaires et des prisonniers évadés. En janvier 1943, ils étaient déjà près de deux cents, cachés dans les bois ou employés dans les fermes du coin. Il fallait s'occuper du ravitaillement, de l'hébergement, veiller à leur sécurité pour qu'ils ne soient pas repérés ou dénoncés. L'Organisation de résistance de l'armée (ORA) était alors en pleine effervescence. Nous sentions la nécessité de nous organiser sérieusement. En mai 1943, le colonel Ailleret, chef régional de l'ORA, m'a

nommé à l'état-major en qualité de chef de groupe. Mes missions étaient nombreuses : renseignement, hébergement, organisation des parachutages, sabotages, formation de futurs maquis et recrutement.

J'avais la responsabilité de quatre terrains de parachutage et d'un terrain d'atterrissage. Mais puisque j'étais, de jour comme de nuit, déjà bien occupé, je ne pouvais pas être à l'écoute de la BBC et relever les messages qui concernaient nos maquis. Le colonel Ailleret m'a suggéré de recruter une personne très jeune, de préférence une jeune fille, pour des missions d'écoute et de transmission des messages codés. La fille aînée de mes patrons, Ginette Marchais, avait 11 ans. Elle avait du caractère et du bon sens. Je lui ai proposé cette aventure périlleuse. Malgré son très jeune âge, elle a accepté. C'était un peu de l'inconscience… En dépit des risques, ses parents aussi ont accepté. Il faut dire qu'ils étaient déjà impliqués parce que nous avions mis en place un terrain d'atterrissage et un de parachutage sur leur ferme.

Ginette : James, à son retour du Chantier de jeunesse, venait, de temps à autre, travailler pour mes parents. Notre ferme de La Crépinière dépendait du château de Marolle, qui appartenait à Mlle Raoul-Duval. Cette dame, qui est morte en 1952, avait déjà une soixantaine d'années. Une partie de sa famille était de souche anglaise. Deux de ses frères avaient été tués pendant la guerre de 14-18. Elle était farouchement anti-allemande.

James a expliqué à mes parents ce qu'il faisait, ses activités dans la résistance. Mes parents ont dit « oui ». Comme ils avaient dit « oui » pour les terrains. S'ils avaient refusé, je leur aurais obéi. J'étais trop jeune pour aller courir dans les bois avec les résistants. On connaissait bien James. Il habitait à 3 kilomètres, à Couasnay, et il venait souvent donner un coup de main à la ferme.

Chaque terrain de parachutage avait un nom de code. Celui de Genillé, c'était :

Un poste émetteur dans sa mallette.
Pour les maquis, il était vital de pouvoir communiquer avec Londres mais les risques d'être repéré étaient grands. De nombreux opérateurs radio ont été capturés par les troupes allemandes qui les traquaient sans relâche.
© Centre d'Études et Musée Edmond-Michelet, ville de Brive-la-Gaillarde.

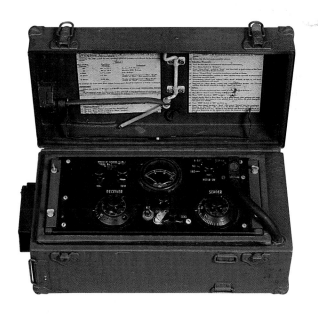

L'unique brassard restant. C'est celui du chef du maquis Cesario, le capitaine Édouard Bretegnier. Ginette en a cousu quatre cents qu'elle a cachés dans une haie pour éviter qu'ils ne tombent aux mains des Allemands. Ce brassard est désormais en possession de celle qui l'a cousu. Coll. G. et J. Thireau.

« Le bouchon coulera à pic. » Pour les parachutages, il fallait connaître le morse. « Titi ta titi… » J'ai oublié depuis le temps… Je faisais les signaux codés avec une lampe de poche pour guider les avions. J'ai donc appris le soir, après le dîner. On apprenait ça tous les deux. Il ne fallait pas faire d'erreurs. La réussite du parachutage dépendait de moi. Parfois on réceptionnait des armes, souvent des officiers supérieurs que je devais conduire au PC de Couasnay à travers le bois de Marolle. J'avais 11 ans. J'ai aussi dû apprendre tous les codes. En plus, j'écoutais Radio-Londres. On avait un poste à la maison. Ma mère me donnait un coup de main. On écoutait les messages destinés à la résistance. Dès qu'on entendait l'indicatif d'un des terrains de James, on lui transmettait le message. Lui, il n'était jamais là ; tout le temps sur les routes ! Il n'avait pas le temps d'écouter la radio.

Enfin, il y avait un poste émetteur qui était installé au château de Marolle. Mlle Raoul-Duval, qui parlait bien anglais, avait accepté de réceptionner et de diffuser les messages en anglais. Elle ne pouvait pas voir les Allemands ! En 1942, elle avait dit à James que, s'il avait besoin d'aide, il pourrait compter sur elle : « Ma propriété et le château seront à disposition en cas de besoin. » Moi, je servais ensuite d'agent de liaison.

Peur ? Vous croyez qu'à cet âge-là on mesure les risques et les conséquences ? Cependant, j'étais très discrète. Quand j'allais aux champs garder les moutons, je brodais des croix de Lorraine sur les brassards des FFI. J'en ai fait quatre cents ! Je les cachais, avec mon matériel de couture, dans une boîte que je ne rapportais jamais à la maison. Je la cachais dans une haie avant de rentrer et je la reprenais le lendemain. Dans la région, il y avait peu d'Allemands. En revanche, les miliciens étaient nombreux. James a d'ailleurs réussi à capturer le chef départemental de la Milice. C'était le 10 août 1944. Il l'a remis au capitaine Édouard Bretegnier, le chef du maquis Cesario et futur chef de l'ORA pour l'Indre-et-Loire. Le seul brassard de FFI que j'ai gardé, c'est le sien. Quand « Cesario » est mort, sa veuve me l'a donné.

J'ai accompli ma mission jusqu'à l'été 1944. En fait, j'ai continué après le Débarquement.

James : Le 6 juin, les maquisards se sont rassemblés. La semaine précédente, un message codé nous avait avertis de son imminence. Les volontaires ont afflué. J'en avais recruté quatre-vingts qui sont arrivés en vélo au PC de Couasnay. On a camouflé leurs bicyclettes dans des cuves à vin ; ils les ont récupérés à la Libération. Eux se sont mis au maniement d'armes ; ceux qui étaient plus aguerris ont déclenché des actions de guérilla et tendu des embuscades. Avec André Gauthier, mon adjoint, on a barbouillé de goudrons toutes les bornes et les poteaux indicateurs sur 60 kilomètres. Le 15 juin,

La remise de la Croix
de guerre en mars
1946. Ginette était
membre de l'ORA
(Organisation de la
Résistance de l'Armée).
Coll. G. et J. Thireau.

avec l'adjudant-chef Reben, nous avons plastiqué une voie ferrée mais les gardes-voies ont repéré les charges. Le 22 juin, nous avons réceptionné des armes que nous avons chargées sur nos vélos et rapportées dans un cantonnement près de Loches. Le 23 juillet, nous avons réussi à isoler une citerne d'essence d'un convoi allemand. Sept mille litres qui nous ont bien servi ! Le 3 août, Reben et moi réussissons à saboter la voie ferrée Tours-Châteauroux. Mais ça ne marchait pas à tous les coups. Le 27 juillet, un de nos groupes a été attaqué et en partie anéanti. Les rescapés ont rejoint mon groupe à Couasnay.

Le 4 août, Ginette, qui est toujours à l'écoute, me transmet un message : « Le tournedos s'arrose au pauillac. » Il annonce un parachutage d'armes sur l'un de mes terrains. Vingt tonnes de matériel et de denrées tombent du ciel ; elles sont aussitôt mises à l'abri en forêt de Beaugerais, à 30 kilomètres.

À la Libération, je me suis engagé. Le 11 novembre 1944, je me suis retrouvé devant Saint-Nazaire, l'une des poches de l'Atlantique que les Allemands tenaient encore. Je suis monté en lignes le 13. J'é-tais sergent. J'appartenais au 32ᵉ régiment d'infanterie qui regroupait deux maquis.

RÉPUBLIQUE FRANÇAISE

Guerre 1939 - 1945

CITATION

EXTRAIT DE L'ORDRE GENERAL N° 482

Le Général de Corps d'armée KOENIG
Commandant en Chef en Allemagne, Ex-Commandant des Forces Françaises de l'Intérieur

CITE A L'ORDRE DU REGIMENT

MARCHAIS Ginette - Membre de l'Organisation de Résistance de l'Armée

"A montré une intelligence, un sang-froid et un courage exceptionnels à son âge, comme agent de renseignements et de recrutement. A camouflé chez elle des armes pour les maquis d'Indre-et-Loire."

Ces citations comportent l'attribution de la Croix de Guerre 1939-1945 avec étoile de bronze

A Paris, le 13 février 1946
Signé : KOENIG

EXTRAIT CERTIFIE CONFORME
A Pau, le 7 avril 2000
Le Lieutenant-Colonel M.F. BENOIST
Commandant le Bureau Central
d'Archives Administratives Militaires

Une copie de la citation de Ginette Marchais et sa carte de combattant volontaire de la Résistance.
Coll. G. et J. Thireau.

Ginette : Quand je l'ai vu partir, je ne pensais pas qu'un jour il serait mon mari. Il est resté en ligne jusqu'au mois de mars. Le 7, il a sauté sur une mine devant Cordemais ; pour cette action, le 15 novembre 1966, on lui attribuera la Médaille militaire avec palme. Il a été évacué et finalement hospitalisé à Tours. Nous avons une photo qui montre la reddition allemande. Il n'y a qu'un seul drapeau ; c'est celui de la 4e compagnie du 32e RI [régiment d'infanterie], c'est la compagnie de James. Ce drapeau, il est avec nous maintenant. Le 25 mars 1946, j'ai été décorée de la Croix de guerre 1939-1945 avec étoile de bronze. C'était la veille de mon quinzième anniversaire ! La citation ne mentionne pas « 15 ans » mais « douze ans et neuf mois ». À la fin de la guerre, je me suis remise au travail dans la ferme de mes parents. Une fois rétabli, James est revenu. Nous nous sommes mariés en avril 1948. Nous avons d'abord tenu un commerce de primeurs à Genillé. Puis, en 1954, nous avons repris la ferme d'un oncle

James Thireau est devenu le mari de Ginette Marchais après en avoir été le chef.
Le jeune homme s'est engagé à la Libération. Son unité a été déployée devant la poche de Saint-Nazaire. Blessé par une mine, il a été évacué à Tours.
Coll. G. et J. Thireau.

Le drapeau du 32e régiment d'infanterie. La photo a été prise lors de la reddition des troupes allemandes de Saint-Nazaire. Coll. G. et J. Thireau.

de James, ici, à Couasnay. James a pris sa retraite en 1980.

De tout ça, de la Résistance, on n'en parle pas beaucoup. Même à nos enfants. S'ils posent des questions, on répond. Mais on est toujours restés très discrets. Finalement, moi, je n'ai pas fait grand-chose. J'ai aidé. Si j'avais eu 20 ans, tout ça serait passé inaperçu. Mais j'étais jeune. Si jeune que j'aurais pu faire fusiller tout le monde ! Mais, à l'époque, je ne pensais pas à ça. Il a fallu que je sois décorée en 2001 de la Croix du combattant volontaire, puis en 2003 de la Médaille militaire, pour que les gens apprennent ce que j'avais fait. Chaque année, quand même, nous organisons un rassemblement, le premier dimanche de septembre. C'est la réunion annuelle de l'ORA et du maquis Cesario. Mais nous sommes de moins en moins nombreux.

Ginette, James et le drapeau du 32e RI, à Genillé, en 2007.
James s'occupe activement de plusieurs amicales d'anciens combattants et résistants. Ginette est, pour sa part, longtemps restée discrète sur ses activités.
Photo Ph. Chapleau.

Loïc Bouvard
Garde du corps d'un para de la France libre

Député du Morbihan depuis 1973, Loïc Bouvard est aujourd'hui le doyen de l'Assemblée nationale. En 1944, à 15 ans, il a pris part aux combats de Saint-Marcel (Morbihan), ce qui lui a valu une Croix de guerre 1939-1945 et une citation à l'ordre de la Division : « Soldat FFI. Jeune garçon d'un courage et d'un sang-froid remarquables. Au cours du combat de Saint-Marcel, le 18 juin 1944, a assuré de nombreuses missions périlleuses sur la ligne de front, faisant preuve au milieu du combat d'un courage et d'un esprit de sacrifice bien au-dessus de son âge. A été cité en exemple à tous ses camarades de combat. Jeune figure de héros qui a laissé un souvenir inoubliable dans l'esprit de ses chefs. » À Rennes, le 18 juin 1945, le général de division Allard, commandant la XIe région militaire.

Page de gauche :
Andrée Bouvard et son fils Loïc, lors de sa communion.
Le futur député ne sait pas encore qu'il servira de garde du corps à un para de la France libre.
Coll. L. Bouvard.

Loïc est né en 1929. Son père était officier de l'armée de l'air. Il terminera sa carrière avec le grade de général de corps d'armée aérienne. Coll. L. Bouvard.

À gauche en haut et à droite : **Deux scènes de la vie de famille avant 1939.** La guerre approchait. À ses enfants, le commandant Bouvard avait déjà inculqué l'idée de se battre. Coll. L. Bouvard.

À gauche en bas : **Les tombes provisoires des cadets de Saumur à Gennes.** Ces élèves officiers ont tenté de barrer la route aux troupes allemandes. Coll. Presbytère de Gennes.

Je suis né le 20 janvier 1929. En 1940, j'étais pensionnaire à Saumur. Mes grands-parents, qui habitaient Nantes, sont venus me chercher juste avant l'épisode des Cadets de Saumur. Avec ma mère et mes cinq frères et sœurs, nous sommes allés nous réfugier d'abord chez un oncle, près de Saintes. C'est là que j'ai vu les Allemands avec leurs side-cars, bousculant l'armée française en déroute. Pour rejoindre mon père à La Palice et franchir les barrages, ma mère avait plaqué sur le pare-brise une fausse autorisation de passage rédigée par une de mes cousines.

À l'époque, mon père, officier de l'armée de l'air, était commandant au 2e bureau (renseignements). Le jour de l'armistice, il a démissionné et créé un réseau de renseignements qu'il a mis au service des Anglais.

Le commandant Bouvard et ses deux fils. Officier de renseignement, il a rejoint l'Algérie et commandé une escadrille de bombardiers légers *B-26*, du groupe 2/52 Franche-Comté. Coll. L. Bouvard.

Loïc dans le Morbihan. En septembre 1944, il rédigera son propre récit de la bataille de Saint-Marcel. Coll. L. Bouvard.

En novembre 1942, alors qu'il travaillait à Vichy pour le compte des Alliés, il a réussi à prendre l'un des derniers avions à pouvoir quitter la Zone libre. Il a rejoint l'Algérie et repris du service. Lieutenant-colonel, il a commandé une escadrille de bombardement équipée de *B-26*. Il s'est battu en Sardaigne, en 1944, sous commandement américain, puis il a pris part aux bombardements lors du débarquement de Provence, en août. Leur appareil ayant été touché, lui et son équipage ont sauté en parachute au-dessus de la mer. Ils ont nagé jusqu'à la côte avant d'être recueillis par les Allemands. Mon père, qui parlait allemand et qui était l'officier le plus élevé en grade, a réussi à convaincre le général allemand de se rendre à l'armée du général de Lattre qui encerclait Toulon. C'est lui qui, avec un drapeau blanc, a rendu tous les forts à l'armée française ! Le 18 juin 1945, un an jour pour jour après la bataille de Saint-Marcel, le colonel Bourgoin est venu, chez nous à Paris, pour me remettre ma Croix de guerre. Mon père était là. J'ai vu cette scène extraordinaire : mon père disant à Bourgoin : « Mon colonel, vous qui avez libéré la Bretagne à vous tout seul… » et Bourgoin répondant : « Et vous qui avez libéré Toulon à vous tout seul… »

Ci-dessus : **Sur un aérodrome allié, le lieutenant-colonel Bouvard et l'équipage du B-26 abattu le 19 août 1944 remettent au général Webster le drapeau nazi qui flottait au-dessus du fort de Gardane, à Toulon.**
Coll. L. Bouvard.

À gauche : **Avant la guerre dans la campagne bretonne.**
« Les deux jours les plus beaux de (son) existence » approchent.
Les 18 et 19 juin, le jeune Loïc prendra part aux combats de Saint-Marcel.
Coll. L. Bouvard.

Mon père, celui qui nous avait inculqué l'idée de nous battre, a donc été absent à partir de la fin 1942. Après Nantes et La Palice, j'ai été pensionnaire à Clermont-Ferrand. En mars 1944, il y a eu des bombardements sur la région. À ce moment-là, j'ai été rapatrié vers la Bretagne, plus précisément à Ploërmel où la famille de mon père avait une propriété familiale, le château de Sainte-Geneviève. J'avais 15 ans depuis janvier.

Là, c'était formidable. On parlait de la Résistance, du Débarquement qui était imminent. À Saint-Marcel, les gens s'agitaient, c'était l'effervescence. Je voyais les maquisards du Morbihan qui s'organisaient autour de nous.

Le château de Sainte-Geneviève, propriété de la famille paternelle, a été le théâtre de violents combats, le 18 juin. En fin de journée, un millier de soldats allemands l'encerclaient.
© Musée de la Résistance Bretonne de Saint-Marcel.

Le commandant Émile Guimard a été l'un des organisateurs de la résistance dans le Morbihan.
© Musée de la Résistance Bretonne de Saint-Marcel.

Le colonel Chenailler et le commandant Émile Guimard, les chefs des FFI, préparaient l'arrivée de leurs bataillons de Ploërmel, de Vannes, d'Auray, puis le parachutage des parachutistes français du 4e bataillon SAS (le *Special Air Service*) sur le terrain « Baleine » situé près de la ferme de La Nouette, à deux pas du bourg de Saint-Marcel.

Ma mère, Andrée, a été formidable. Une héroïne ! Elle nous a autorisés, mon jeune frère (Guy-Michel avait un an de moins que moi) et moi, à aller au maquis. Pour nous, c'était évident de se battre. Mon père, officier, résistant, futur général quatre étoiles, nous servait de modèle. Il nous écrivait des lettres : « On l'aura, Hitler. » Une vraie mystique ! Il nous inculquait la France.

Avec mon frère, on servait d'agents de liaisons : on allait, à bicyclette, porter des messages, chercher du ravitaillement. Les Allemands ne nous ont jamais inquiétés. On avait toujours des maillots de bain ; on leur disait qu'on allait

Incendié par les Allemands, le 25 juin 1944, le château de Sainte-Geneviève témoigne de la violence de la répression. Le 27, le bourg de Saint-Marcel est en partie détruit.
Coll. L. Bouvard.

Un container de type C touche le sol.
Ce cylindre de tôle permettait d'acheminer 250 kg d'équipement. Le 13 juin 1944, quelque 700 containers de ce type seront largués sur la zone Baleine située au nord de La Nouette.
© Musée de la Résistance Bretonne de Saint-Marcel.

se baigner… Entre le 6 et le 18 juin, chaque nuit, les parachutistes étaient dropés par des avions britanniques. J'ai eu la chance de voir arriver Bourgoin, dans la nuit du 9 au 10 juin. Il était alors commandant. J'ai vu aussi arriver les quatre Jeep qui ont été larguées en pleine nuit ! À ce moment-là, le camp était défendu par 2 500 hommes dont 200 SAS. Est arrivé le moment de savoir si je pouvais être armé. Le capitaine SAS Puech-Samson est allé voir ma mère au château de Sainte-Geneviève, qui sera détruit le 24 juin. Ma mère a eu ces paroles formidables : « Oui, son père serait fier de lui. » J'avais 15 ans. En revanche, elle a refusé que mon frère soit armé. Il en a pleuré de dépit.

La bataille du 18 juin

À cinq heures et demie, Guy-Michel me réveille. Un groupe de reconnaissance allemand – deux autos et huit soldats –, attiré par les parachutages, est venu voir ce qui se passait. Nos FM [fusils-mitrailleurs] tuent quatre Allemands. Trois sont capturés. Un s'enfuit.

Sans faire plus attention à cet incident, je vais servir la messe. C'est l'aumônier du camp qui l'a dite. Après l'Évangile, le prêtre nous dit quelques mots : « Il ne faut pas parler de vengeance mais de revanche. Ils ont gagné la première manche, nous gagnerons la seconde avec l'aide de Dieu.

Préparons-nous au combat. » À peine la messe finie, la bataille commence. L'Allemand rescapé a donné l'alerte. Plusieurs compagnies allemandes passent à l'attaque. Nos gars sont prêts, derrière les taillis, et ils les attendent fermement.

Au camp, puisque j'avais la permission de ma mère, on m'avait donné une carabine américaine, merveilleuse arme légère semi-automatique. Me voici à l'œuvre. Je sors et rencontre le capitaine Puech-Samson. «Viens avec moi à la bagarre. Tu as deux minutes. » Je vais lui servir de garde du corps et d'agent de liaison. Je pars avec le capitaine vers Les Hardys et Sainte-Geneviève afin de contacter les deux bataillons déjà engagés. Il n'a pour toute arme que deux grenades, mais il emporte ses jumelles, des cartes, des crayons, des papiers. Je suis très fier d'être son « garde du corps », comme il m'a dit. Et je fais claquer les vieilles bottes de mon grand-père que j'ai adoptées.

Nous nous dirigeons vers le Bois-Joli où il semble que la poussée allemande soit la plus forte. Il faut ramper car les balles sifflent de tous les côtés. Arrivés aux Grands Hardys, on a vraiment l'impression qu'on entre dans le bain. C'est palpitant. La première ligne de nos fusils-mitrailleurs se trouve à 50 mètres en arrière, à côté du petit bois à moitié en feu. C'est un tonnerre du diable. Sans arrêts, on entend des rafales de FM et force coups de fusils. Ces cochons de Boches ont installé une mitrailleuse lourde dans le clocher de Saint-Marcel ; elle nous gêne et nous arrose bien.

Le capitaine inspecte les alentours à la jumelle ; je suis accroupi à côté de lui. Soudain, des coups de feu crépitent et des balles nous sifflent aux oreilles. Je riposte, avant d'entendre : « Loïc, je suis touché. » Et le capitaine tombe. Je me précipite vers lui et constate qu'une balle lui a perforé la cuisse. La blessure n'est pas trop grave mais il faut le ramener au camp de La Nouette. Là, il est soigné par le médecin FFI Mahéo. J'en profite

En haut : **Le commandant Bourgoin.** L'officier avait perdu un bras. Ce qui ne l'empêchait pas de sauter avec ses hommes et de combattre. Loïc assistera à son arrivée dans la nuit du 9 au 10 juin. © Musée de la Résistance Bretonne de Saint-Marcel.

En bas : **La ferme de La Nouette, le poste de commandement du maquis de Saint-Marcel.** © Musée de la Résistance Bretonne de Saint-Marcel.

pour faire un somme dans une des chambres qui sert de PC à Bourgoin et à Chenailler. Vers trois heures, je me lève. Je comprends que, faute d'armes lourdes, nous allons devoir décrocher dès le soir. L'intervention de l'aviation alliée nous donne un répit. Les *Mosquito* demandés par Bourgoin interviennent enfin. Les troupes allemandes, dont des parachutistes du 2e régiment, de plus en plus nombreuses, sont désemparées et leur feu ralentit. Mais ça ne dure pas ; aussitôt les avions partis, ça recommence de plus belle. Je profite du répit pour nettoyer mon arme. Tout marche bien quand éclatent dans la cour de la ferme plusieurs coups de feu, suivis d'une fusillade beaucoup plus proche. Les Allemands, ayant repéré nos positions, ont fait un

détour et se sont installés sur une petite colline, dans le bois de Béhélec, d'où ils arrosent le PC. Il faudra une contre-attaque des parachutistes et des hommes du bataillon Le Garrec pour les déloger.

Puech-Samson ne veut pas que je retourne au combat. Je me contente d'assurer quelques liaisons. En fait, le décrochage est prévu pour minuit. Nous devrons tous partir en colonnes ou par petits groupes vers le château de Callac, qui se trouve à 15 kilomètres de La Nouette. Le capitaine me prend à part : « Comme blessé et ne pouvant pas marcher, je vais partir en Jeep. Je n'ai pas de place pour toi, mon petit Loïc. Tu vas partir à pied avec les officiers et je suis sûr que nous nous retrouverons demain matin. » Vers neuf heures et

Le stick SAS du capitaine Larralde à l'entraînement en Angleterre.
La plupart de ces hommes sauteront en Bretagne. Le premier groupe de paras arrivé à Saint-Marcel était commandé par le lieutenant Marienne.
© Musée de la Résistance Bretonne de Saint-Marcel.

demie, je dis au revoir au capitaine et suis le commandant Bourgoin. Direction : Serent, au nord-ouest. Nous sommes quatre à cinq cents à la file indienne.

Soudain, une énorme explosion retentit. Visiblement, les SAS font sauter les dépôts d'armes. Dans la confusion, je me retrouve isolé avec neuf parachutistes. Nous repérons un chemin et partons vers Callac. Nous traversons des bois, longeons des haies, traversons des fossés, toujours sous le clair de lune et prêts à recevoir les Boches. Un peu perdus tout de même, nous décidons de nous planquer et d'attendre le jour. Je m'endors en grelottant car il ne fait pas chaud.

Vers quatre heures et demie, réveil. De l'autre côté de la forêt, nous apercevons une ferme. Les SAS m'envoient aux renseignements. Je pars en bras de chemise. Arrivé à la maisonnette, je frappe. Personne. C'est alors que j'aperçois, caché derrière un tas de fagot, un pauvre bougre tremblant de peur. Il a couché dehors, de peur que sa maison ne s'écroule à cause des explosions. Callac, selon lui, se trouve à 4 kilomètres à l'ouest. Je pars retrouver les autres. Il ne reste plus que Gilbert, un des radios. Je suis en train de m'équiper quand apparaît une vingtaine de parachutistes menés par le lieutenant Ranfast. Nous nous joignons à eux. Finalement,

nous arrivons au fameux bois où nous devons nous retrouver. Il y a là déjà tous les camions et les blessés. Je retrouve le lieutenant Colineaux et le commandant Le Gouvello, le commandant du 9e bataillon. Je monte au château de Callac. Là se trouvent tous les chefs. Mais pas de capitaine Puech-Samson… Découragé et affamé, mais surtout bien fatigué, je me couche au pied d'un talus et je m'endors, je ne sais trop combien de temps. Tout à coup, je me sens réveillé et, ouvrant les yeux, j'aperçois le commandant Bourgoin qui me regarde en riant. Je me lève aussitôt et veux me mettre au garde-à-vous, mais je m'effondre, tellement je suis exténué. Très gentiment, le commandant s'occupe de moi et me fait monter dans un grenier à foin où je dors vraiment bien.

À mon réveil, il pleut et ma carabine a disparu. Il est presque midi. Chacun va et vient ; les ordres claquent ; les autos vont dans tous les sens, et cela sous la pluie, dans la boue et traqués par les Allemands qui nous donnent la chasse. La décision est prise de se disperser. Alors chacun fiche le camp de son côté. Les FFI regagnent leur maquis ou leur famille. Les pauvres SAS vont être obligés de se cacher dans des endroits inconnus. Je déjeune d'un bout de viande sur du pain trempé.

Le bois se vide peu à peu. Je vois passer les commandants Bourgoin et Chenailler, les capitaines Guimard et Brunet. Ils sont tous en civils. Ils vont prendre le maquis, le vrai. Ils me demandent de les accompagner. Mais je suis encore en uniforme. Je les rejoindrai avec les radios et la camionnette chargée d'armes et de matériel.

Enfin nous partons. Voici la route, puis la nationale. C'est bien imprudent. Tant pis, il faut passer. Les Boches patrouillent mais nous n'en rencontrons pas. À l'entrée d'un village, quelqu'un crie : « Les Cosaques » (en fait, des Ukrainiens). Nous nous cachons dans un petit chemin, à l'abri des yeux mais pas des oreilles. Avec ses vieux pneus et la boue, la pauvre camionnette ne peut plus avancer et patine en faisant un boucan d'enfer. Chacun

À gauche :
Loïc Bouvard après la guerre.
Après des études aux États-Unis, il se lancera en politique et sera élu député dans le Morbihan en 1973. Il a été réélu en 2007. Coll. L. Bouvard.

À droite :
Le colonel Chenailler (dit Morice), le chef des FFI du Morbihan.
Ses hommes étaient pauvrement armés avant le Jour-J.
© Musée de la Résistance Bretonne de Saint-Marcel.

**Loïc et son père,
après la guerre.**
Le 18 juin 1994, Loïc
Bouvard a fait un discours
lors des commémorations
de la bataille de Saint-
Marcel : « Réunis autour
de cette stèle pour exalter
la Résistance et honorer
nos morts, nous sentons
le poids des années
écoulées. Depuis lors,
nous portons notre
fardeau de souvenirs
écarlates, fulgurants, de
nos jeunes années toutes
emplies de la pugnacité
de se vouloir libres.
Enfin, c'était le cri de
nos quinze ans, c'était
le cri de nos vingt ans. »
Coll. L. Bouvard.

Loïc Bouvard, en 2007.
Député du Morbihan
depuis 1973, doyen de
l'Assemblée nationale.
Coll. L. Bouvard.

prend un poste de garde de chaque côté. C'est
la seule fois où j'ai vraiment eu peur car s'ils
étaient arrivés, nous étions encerclés et pris.
J'en profite pour me mettre en civil et fumer
une cigarette. Gilbert, un SAS, part en reconnaissance. Tout est calme. On repart. Le
moteur ronfle et nous faisons à peu près
3 kilomètres en direction du moulin de Saint-
Aubin, avant de nous embourber. Apparaît
alors un homme à l'air farouche. C'est un
dénommé Gaby. Je pars avec lui chercher ses
chevaux pour dépanner l'auto. Au moulin,
j'aperçois la tête du commandant Bourgoin.
Je monte le petit escalier de bois et le retrouve en haut. Je suis bien accueilli, ça va sans
dire. J'en profite pour me restaurer. Puis voilà
M\ᵐᵉ Chenailler, la femme du colonel. Elle
apporte du beurre. Elle est cachée à La
Foliette, une ferme à 300 mètres d'ici, avec
ses deux fils.

Les chefs vont partir ; ils me confient à
Yvonne Mallard, qui va m'héberger. Avant
de partir, le commandant Bourgoin me dit :
« Loïc, c'est bien ; tu as été magnifique. Je
ne l'oublierai pas et dès que je pourrai télé-
graphier, je le ferai savoir à ton père. Les FFI
comme toi sont vraiment des types épatants. »
Que d'éloges ! Et ils s'en vont. Nous nous

installons pour la nuit sur des matelas. Yvonne
arrive. Sa sœur Marie est là aussi. Ce sont
deux vaillantes filles qui ont fait depuis bien
longtemps de la résistance et qui ont été rui-
nées par les Boches. Un de leurs frères a été
tué par eux. Une ultime alerte nous envoie
à La Foliette, où je monte dans le grenier et
m'affale sur la paille. Bien qu'épuisé, je ne
peux m'endormir tout de suite. D'abord, la
tension nerveuse est trop forte. Ensuite, les
aboiements incessants des chiens m'inquiè-
tent : les Allemands ne rôdent-ils pas autour ?
S'ils arrivent, aucune issue ! Et puis, où sont
maman et les petits ? Que sont devenues ma
grand-mère et ma tante ? Et puis mon petit
frère, où est-il ? Que de questions angoissan-
tes, mais je m'endors finalement.

*Loïc Bouvard restera à La Foliette jusqu'au
3 juillet, avant de retrouver les siens. À l'automne
1944, la famille Bouvard gagne Paris. Loïc y rédige
le récit de sa bataille. Il est envoyé au lycée Saint-
Stanislas, en première. Il décrochera son bac, pré-
parera Navale, bifurquera sur Sciences-Po en octobre
1947, envisagera de faire l'Ena mais partira aux
États-Unis pour étudier à Princetown. Il y vivra
onze ans. En 1973, il sera élu député dans la 4ᵉ cir-
conscription du Morbihan, celle de Saint-Marcel.
Il a été réélu en 2007.*

Un parachutage de jeep.
Quatre véhicules de ce
type ont été largués sur le
terrain Baleine, le 17 juin.
Elles équipaient le stick du
lieutenant de la Grandière
C'était une première dans
l'histoire de la Seconde
Guerre mondiale.
Ces jeeps étaient armées
de deux affûts de
mitrailleuses *Vickers* et
d'un fusil-mitrailleur *Bren*.
© Musée de la Résistance Bretonne
de Saint-Marcel.

Le maquis de Saint-Marcel (Morbihan)

Le maquis de Saint-Marcel est né à La Nouette, un hameau à l'ouest du bourg de Saint-Marcel. Dès février 1943, des agents du SOE (*Special Operations Executive*) et du BCRA (Bureau central de renseignements et d'action) y avaient identifié un terrain de parachutage homologué sous le nom de code « Baleine ». Ce terrain devait accueillir, dans les heures qui allaient précéder le Débarquement, des unités aéroportées et des stocks d'armes destinés aux maquis morbihannais chargés de ralentir la progression des renforts allemands vers le nord-ouest.

Bien après la bataille, une prise d'armes a eu lieu dans le bourg dévasté. Plusieurs SAS (à gauche) sont au garde-à-vous.
© Musée de la Résistance Bretonne de Saint-Marcel.

Le 5 juin 1944, La Nouette devient le point de ralliement du bataillon FFI de Ploërmel-Josselin et des parachutistes du 4e bataillon du SAS (*Special Air Service*) français du commandant Bourgoin. Dans les jours qui suivent, parachutistes de la France libre et maquisards affluent vers La Nouette. Des centaines de tonnes d'armes et de munitions sont larguées sur « Baleine » ; elles permettent d'équiper 4 000 hommes. Pour la première fois, des Jeep du SAS sont parachutées.

Toute cette activité n'est pas passée inaperçue. Les Allemands renforcent leur garnison locale avec des parachutistes du 2e corps du général Meindl et commencent l'encerclement du camp de La Nouette défendu par 2 500 Français, dont 200 paras du SAS.

L'attaque aura lieu le 18 juin. La bataille fera rage toute la journée et verra le repli de la garnison de La Nouette dont les pertes auraient pu être beaucoup plus lourdes : 28 tués dont 6 paras, une soixantaine de blessés et 15 prisonniers. Les représailles allemandes seront impitoyables : incendies de maison, destruction du bourg de Saint-Marcel, exécutions sommaires, déportations...

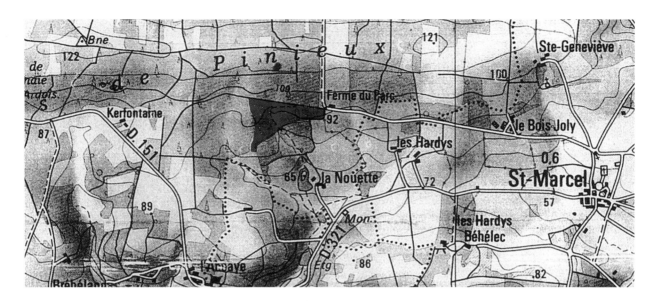

En rouge, la DZ (Drop zone) Baleine. 3 500 hommes tenaient la zone, armés grâce aux parachutages massifs effectués par l'aviation alliée. La carte montre (à droite) le bourg de Saint-Marcel et au-dessus le château de Sainte-Geneviève (défendu par des SAS et attaqué par des parachutistes allemands du 2e régiment de paras). © Musée de la Résistance Bretonne de Saint-Marcel.

Les armes des SAS et des résistants : la mitraillette *Sten MK II* (une arme rustique qui équipait les maquis), le *Colt 45*, une grenade quadrillée et une grenade *Gammon*.
© Musée de la Résistance Bretonne de Saint-Marcel.

Pierre Demalvilain
Pierre croquait les défenses allemandes

Un bon coup de crayon, du tempérament et l'envie de donner un coup de main à la Résistance : il n'en fallait pas plus. Pierre Demalvilain a commencé à lutter contre l'occupant à l'âge de 15 ans. Sa mission : faire le relevé des défenses allemandes de la côte de Bretagne Nord pour le compte des réseaux F2 et Delbo-Phénix. Itinéraire d'un descendant d'Acadien.

Officiellement, mon entrée dans la Résistance date du 1er juillet 1941. J'avais 15 ans, puisque je suis né le 6 juillet 1926, dans l'Aisne. Ma famille est d'origine acadienne. Au XVIIe siècle, mes ancêtres sont partis pour Terre-Neuve, avant de gagner le Canada et plus précisément l'Acadie. Après la perte du Canada, pris par les Anglais, ma famille est retournée à Saint-Pierre-et-Miquelon en 1763, et y restée jusqu'en 1917, date du retour en France de mon grand-père. J'ai donc été bercé dans cet esprit d'aventure, mais aussi d'exil et de souffrances… Et puis, il y avait les corsaires ! C'était des marins expérimentés, ces Malouins qui faisaient la guerre de course et dont on me racontait les faits d'armes.

Mon père a fait la Grande Guerre. Blessé deux fois, il a été soigné par celle qui allait devenir ma mère. Elle était originaire de l'Est et avait échappé à l'Occupation. Sa sœur aînée a d'ailleurs épousé le meilleur ami de mon père. Mon père, qui était colonel, a été maintenu sous les drapeaux en 1918 et mis à la disposition du préfet de l'Aisne comme contrôleur général des services des régions libérées. C'est pourquoi je suis né à Soissons.

J'avais un peu plus de 3 mois quand mes parents sont revenus en Bretagne. Avant la guerre, mon père était maire de Saint-Servan depuis 1900 ; il avait été élu conseiller municipal en 1898. Il sera battu aux municipales de 1919 par l'explorateur Charcot et reprendra son travail d'armateur jusqu'en 1928, année où il est élu conseiller général. L'année suivante, il sera réélu maire. Fonction qu'il occupera jusqu'à son décès en décembre 1932. Chez nous, on parlait toujours de la guerre de 14-18. Ma mère n'aimait pas les Allemands. Mon oncle nous racontait sa guerre ; quand on allait dans l'Est, on allait toujours sur le Chemin des Dames. Si bien qu'en 1940 personne n'avait oublié.

Page de gauche : **Pierre Demalvilain et sa bicyclette.** Pour le collégien de Saint-Malo, l'entrée dans la Résistance date de Noël 1940. Un de ses camarades, dont la famille était déjà engagée dans la lutte, lui a proposé de « donner un coup de main ». Doté d'un bon coup de crayon, Pierre s'est alors lancé dans le repérage des défenses côtières et des mouvements de troupes. Il a pu récupérer une partie de ses croquis dont quelques-uns sont reproduits dans les pages qui suivent.
Coll. P. Demalvilain.

« Mort aux traîtres ». Les graffitis n'ont pas manqué de fleurir tout au long de la guerre.
© S.H.D.

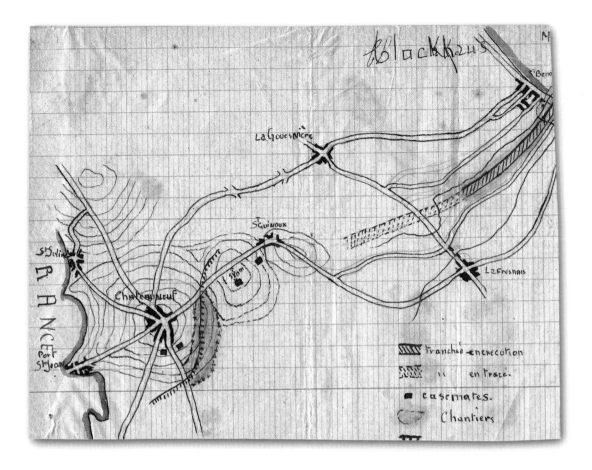

Courbes de niveau, routes, hameaux et bourg : rien ne manque sur la carte dessinée par Pierre qui y a noté les défenses allemandes sur le bord de la rivière La Rance.

Coll. P. Demalvilain.

En outre, un événement a exacerbé le ressentiment. Au début de la guerre, mon grand-père et ma grand-mère ont été évacués de Sissonnes et affectés sur la région de Bordeaux. Ils ont pris la route en voiture. Mais ils ont été bombardés au pont de Giens par des Italiens. Là, ils ont tout perdu.

Pour moi, les premiers résistants ont été les lycéens qui sont allés, le 11 novembre 1940, fleurir la tombe du Soldat inconnu, sous l'Arc de triomphe. On s'y est mis aussi. On a dessiné de grands V sur les murs, déchiré les affiches de propagande. J'étais interne au collège de Saint-Servan, en classe de 4e. Les locaux surplombaient les quais. Un soir où les Britanniques bombardaient le port, au lieu de descendre aux abris, dans la cave, je suis monté dans la salle de dessin pour regarder le bombardement. La porte s'est ouverte ; je me suis caché et j'ai vu un « grand » qui s'est mis près de la fenêtre pour prendre des notes. Visiblement, il relevait les emplacements des batteries de la FLAK, la DCA allemande. Quand il s'est rendu compte de ma présence, il m'a demandé ce que je faisais là. « Et toi ? », je lui ai demandé. Pas de réponse. Finalement, on est descendus aux abris.

Une semaine plus tard, le « grand » me coince et me demande si je serais prêt à faire quelque chose pour mon pays. Banco ! Aux vacances de Noël 1940, je suis parti en vélo à Pontorson avec le « grand », qui s'appelait Yves Colin. C'était le fils d'un vétérinaire de Granville, Ambroise Colin, déjà membre d'un réseau de renseignements. Là, dans un hôtel, j'ai rencontré un homme de 35-40 ans. Yves me présente. L'homme, dont je n'ai jamais connu l'identité, s'inquiète d'abord de mon jeune âge, m'interroge, puis me dit qu'il va me confier quelques petits boulots.

Au début, mon travail consistait à repérer les unités allemandes, à les identifier, à surveiller leurs heures de passage. Par exemple, tous leurs véhicules portaient une immatriculation : « WH » pour l'armée de terre, « WM » pour la marine, « WL » pour l'armée de l'air. Chaque unité avait un blason, une sorte de totem peint sur les camions, les blindés, les avions. Comme j'avais un bon

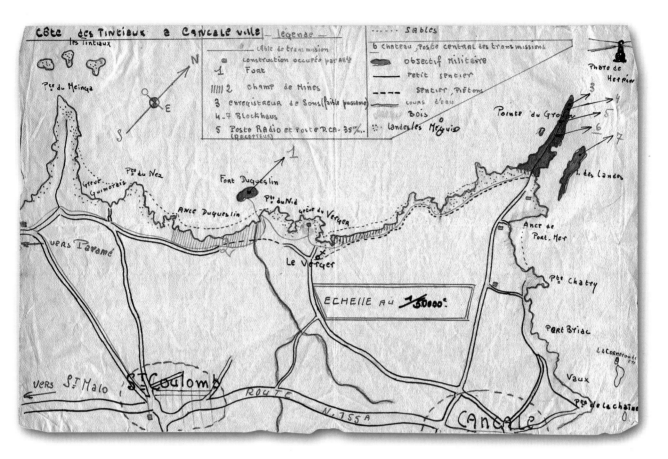

coup de crayon, je dessinais ces blasons, je décrivais leurs uniformes et les insignes. Je faisais des relevés sur le port et sur la côte. Un jour, les Anglais ont demandé à savoir où étaient stockées les munitions du camp d'aviation de Pleurtuit. Les dépôts semblaient se trouver dans le bois de Lanhélin. J'y vais mais je tombe sur une sentinelle qui m'arrête. Je lui dis que « je cherche des champignons ». On était en plein mois de juillet. L'Allemand m'oblige à le suivre et me fait entrer dans le périmètre. Le dépôt de munitions est bien là ! Arrivent deux officiers. Le soldat me fait signe de me cacher. Les voilà qui le réprimandent. Peut-être parce qu'il a quitté son poste ? En tout cas, dès leur départ, la sentinelle me chasse. Mission accomplie, avec la complicité involontaire d'un Allemand !

Croquis et notes constituaient des rapports que j'allais porter à Paris, via Rennes. Comme j'étais membre des Éclaireurs, j'avais une bonne raison d'être sur les routes ! Jusqu'à Rennes, c'était facile ; on n'avait pas besoin de billet. À Rennes, on me remettait des billets pour Laval, pour Le Mans puis pour Paris. La boîte à lettres se trouvait chez une Franco-Belgo-Polonaise dont le nom de code était « Raymonde ». Moi, mon pseudo, c'était « Jean Moreau ». J'appartenais au réseau F2 (Famille) ; c'était un réseau franco-polonais

Le 27 Avril à 3H du matin la D.C.A du port de St Malo a ouvert le feu sur un appareil Anglais. quelques minutes après quatres bombardiers allemands regagnaient leur base de Dinard tous feux allumés, aperçus par l'équipage de l'appareil allié ils furent suivis et à peine posés au sol bombardés et détruit. Dans le même moment un train militaire entrait en gare de St Malo tous feux allumés. L'avion allié revint au dessus de la ville. La D.C.A ouvrit le feu avec ses canon de 75 m/m et de 105 m/m. puis les canons se turent et les mitrailleuses ouvrirent le feu durant quelques minutes. Le lendemain matin un pêcheur de St Servan nommé Carthut recueilli un aviateur anglais blessé à la tête il le pansa, le nourrit. lui fournit quelques habits civils et lui proposa de le cacher. le Tommy refusa à cause des enfants du pêcheur. et partit il fut arrête interroge et envoye à Rennes. CARTHU a gardé la montre de l'aviateur.

Les défenses côtières autour de Cancale et un extrait du journal de Pierre.
Coll. P. Demalvilain.

Des relevés effectués en Bretagne ; il s'agit des mouvements d'unités allemandes et de leurs blasons, ce qui permet de les identifier et de connaître la force des unités déployées dans la région.

Coll. P. Demalvilain.

DATE	LIEUX	BLASON	SIGNE CONV.	IND	NATURE	FREQUENCE	OBSERVATIONS
	RENNES			WL	CAMIONS LIAISONS	CANTONNEMENT	HOMMES TENUE GRISE, LISERE ROUGE - FANION CAMP DE ... ST JACQUES ... DEPUIS ETE DERNIER
	RENNES			WL	"	"	T. GRISE, L. ROUGE
	"			WL	"	"	T. GRISE, L. ORANGE, DEPUIS 2 ANS ICI. FLAK-GAST, CASERNE GUINES, P.C. ROUTE NANTES
	"				"	"	T. GRISE, L.
	"			WH	" + V. HIPPO	"	T. VERTE, L. VERT ET NOIR_ VU 2 OFFICIERS, L. VERT, AVEC CETTE FLEUR BRODEE SUR CASQUETTES DE MONTAGNE. ICI DEPUIS OCTOBRE
	"	ARCHER BANDANT SON ARC		WH	"	"	BLANC NOIR BLANC RUE HOCHE
DU 7/2 ... AU ENCORE ICI	"		P	WH	TOUS VEHIC.	"	E.M. INDIQUE PAR ... RUE POINTEAU ... RUE RONCERAY
	"	FEUILLE DE CHENE	I	"	LIAISONS MOTOS CAMIONS TANKS	"	CASERNE DU COLOMBIER ... HOMMES CANTONNES CASERNE, TANKS ET CAMIONS SOUS HANGARS, CHAMP DE MARS -
4	"		W	"	"	"	CASERNE MARGUERITTE. GROS CHARS (RENAULT?) ROUES DES CHENILLES ENTIEREMENT PROTEGEES PAR BLINDAGE. 3/ CHARS A 6+2. 3/ PETITS CHARS
	"		F.E.B	"	V. HIPPO	"	CASERNE MARGUERITTE
	"		1 ET 2	"	LIAISONS CAMIONS MOTOS	"	CASERNE MAC-MAHON
	"			"		"	RUE DE ST BRIEUC
	GUICHEN		III 1	"	"	"	CANONS (105 ?) TRACTES PAR CAMIONS A CHENILLE
	GUIGNEN		III 2	"	"	"	
	BOURG-DES-		III ?	"	"	"	
	COMPTES		III ?	"	"	"	
	ST GREGOIRE		III II	"	"	"	

qui dépendait du Bureau central de renseignements et d'action, le BCRA. Les renseignements étaient ensuite transmis à Londres, via les valises diplomatiques suédoises ou portugaises, je crois.

En décembre 1941, il y a eu des arrestations. Certains ont été déportés et ne sont jamais revenus. Je me suis réfugié chez mes grands-parents, près de Reims. « Raymonde » a repris contact avec moi et m'a demandé de rentrer à Saint-Malo pour rejoindre le réseau Delbo-Phénix. Un réseau franco-belge dirigé, sur le secteur de Saint-Malo, par le docteur

Andréis. Par sa profession, Andréis pouvait rencontrer du monde, se déplacer… Ça n'attirait pas l'attention. Andréis a été arrêté le 3 mars 1943 et déporté à Dachau. Il en est revenu mais est mort peu après. Moi, j'étais toujours à l'école. On ne pouvait pas confier de grosses responsabilités à un gosse, mais j'ai repris mes missions d'observation. Je suis allé observer des terrains d'aviation, des dépôts de munition. Ma responsabilité première était de tenir à jour un plan des installations allemandes entre Pontorson et Lancieux. Rien ne devait m'échapper. Je notais le moindre blockhaus, le moindre trou individuel, le moindre champ de mine. Heureusement, comme j'étais du coin, j'avais un *Ausweis* [laissez-passer] pour pouvoir circuler. Je récupérais aussi des notes transmises par des cheminots qui surveillaient les mouvements de troupes, décortiquaient la composition des trains et indiquaient leurs destinations. On m'a même remis des photos de navires allemands prises dans le port. Il y avait des dragueurs, des patrouilleurs, des cargos. Moi, je continuais toujours à relever les insignes et à les dessiner. Tout était important pour les Alliés. Je transmettais mes informations au neveu du général Chesnais, à Rennes.

J'étais gonflé. Je parlais un peu allemand. C'était ma deuxième langue étrangère au lycée. Un jour, je surveillais les travaux de construction de blockhaus, à Saint-Malo. Je voulais voir de plus près. Je me suis approché et j'ai dit à une sentinelle que j'allais voir un type de l'Organisation Todt, un certain « Schmidt », un nom inventé bien sûr. Il m'a laissé passer mais je suis tombé sur un autre Allemand qui m'a emmené au PC. On a attendu son chef qui était en retard. J'ai tellement râlé et fait de simagrées qu'on m'a laissé partir. Si j'avais été pris… C'était un coup de folie ; qu'est-ce qu'on fait à cet âge-là… Quand j'allais du côté de Belle-Isle-en-Terre, je logeais dans un hôtel occupé par

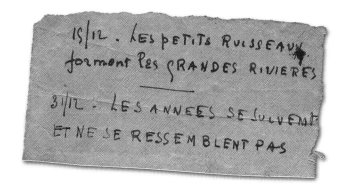

Ci-dessus : **Quelques-uns des codes utilisés par les réseaux auxquels appartenait Pierre.** Coll. P. Demalvilain.

En haut : **Pierre a réussi à échapper à la capture, mais de nombreux membres des réseaux auxquels il a appartenu n'ont pas eu cette chance.** Coll. P. Demalvilain.

En mars 1945, Pierre s'est engagé. Il est parti pour l'Indochine où il a été affecté au RICM. Il sera démobilisé sur place en novembre 1946.
Coll. P. Demalvilain.

les Allemands ! Je venais « de la part de Tonton Jean », c'était le mot de passe.

J'habitais seul avec ma mère. Mon père était mort avant la guerre et ma sœur avait été envoyée à Gévezé, près de Rennes, avec la femme du docteur Andréis. Mais il fallait que je reste à Saint-Malo puisqu'on m'avait donné l'ordre d'accueillir les Américains, le jour où ils auraient débarqué. J'ai patienté jusqu'en août 1944. Je gardais soigneusement le double du fameux plan des défenses allemandes de Pontorson à Lancieux. Il faisait 2 mètres de long. Quand les Américains sont arrivés, je l'ai enroulé autour de ma taille et je suis allé à leur rencontre. Je me suis adressé

à un militaire qui m'a escorté jusqu'à son chef. C'était un colonel, le colonel Gramble. Il était très étonné de voir qu'il existait une résistance organisée. J'ai eu l'impression qu'il n'était pas averti de ce qu'avaient fait les patriotes français. Il m'a gardé jusqu'au lendemain. Ma mère avait été prévenue. J'avais donné tous les codes, celui du réseau (DB 230), le mien, celui de mon chef de réseau. J'ai finalement été relâché. En partant, les Américains m'ont donné des tas de choses : des boîtes de conserve, du chocolat, des chewing-gums…

Une fois la ville libérée, il a fallu que je passe mon bac, à Strasbourg, grâce à une ses-

bras. En novembre 1946, j'ai quitté l'armée et je suis entré à la Compagnie des Hauts-Plateaux spécialisée dans les plantations de caféiers et d'hévéas. J'ai commencé tout en bas ; je suis passé assistant, assistant chef puis sous-directeur. En bon Acadien, j'ai beaucoup voyagé : Côte d'Ivoire, Cameroun, Comores… Je suis revenu à Saint-Malo en 1964. J'ai pris ma retraite en 1986. Depuis, je me suis investi dans des associations patriotiques et j'ai écrit un livre sur *Les Capitaines corsaires d'origine acadienne* !

Le « marsouin » Pierre Demalvilain peu avant son départ de l'armée. Rendu à la vie civile, il a commencé sa carrière en Indochine. Retraité depuis 1986, il est désormais actif dans les associations d'anciens résistants.
Coll. P. Demalvilain.

Ses décorations

Médaille militaire
Croix de guerre 1939-1945 avec étoile de bronze
Médaille de la Résistance française
Croix du combattant volontaire
Croix du combattant de moins de vingt ans
Médaille coloniale
Légion d'honneur (chevalier)
Ordre national du mérite
Croix de guerre belge
Médaille de la Résistance belge
Médaille belge du volontaire de guerre-combattant

sion spéciale. Après, je me suis engagé en mars 1945. Je n'ai pas voulu faire de classes, je voulais aller tout de suite à la bagarre. On m'a affecté à la 2ᵉ division d'infanterie marocaine et j'étais spahi ! Je me suis retrouvé en Indochine. Engagé pour la durée de la guerre, je suis parti avec le détachement précurseur du général Leclerc. Je suis arrivé à Saïgon en octobre 1945 et versé au RICM, le Régiment d'infanterie de chars de marine. On a trotté, du Tonkin au Cambodge ! Au bout d'un an, mon unité a terminé son séjour et repris le chemin de la métropole. On m'a suggéré de faire l'école des officiers de Dalat. Mais ça ne m'intéressait pas ; je ne voulais pas faire carrière ; je voulais gagner ma vie et donner un coup de pouce à ma mère qui n'était pas très riche. J'ai demandé à être démobilisé sur place. Mon colonel a insisté et refusé deux fois ma démission. Finalement, il a baissé les

Pierre Demalvilain en novembre 2007 sur le site du monument du maquis de Saint-Marcel. Photo Ph. Chapleau.

La manifestation du 11 novembre 1940

Le 11 novembre 1940, avec la manifestation des lycéens et étudiants parisiens, constitue – comme l'a bien rappelé Claude Ducreux le 11 mai 2006 devant le monument élevé en Mémorial des élèves et étudiants de France morts pour la France pendant l'Occupation nazie – un événement « fondateur », « exemplaire ».

Ce jour-là, plus de 2 000 lycéens et 500 étudiants se sont réunis à l'Arc de triomphe. Les élèves de math élém. de Janson avaient commandé, le 9 novembre, une gerbe en forme de croix de Lorraine bleu ciel, de 2 mètres de haut. Le 11, à 15 h 30, alors que d'autres jeunes Français tentent de remonter les Champs-Élysées, deux étudiants déposent la gerbe sur la dalle du Soldat inconnu. Policiers français et soldats allemands interviennent vite. Un millier d'interpellations, des coups, des bousculades. Dans les jours qui suivent, une centaine de jeunes lycéens et d'étudiants sont arrêtés. L'université est fermée.

Une vue d'artiste de la manifestation du 11 novembre 1940. « Le premier acte de Résistance », selon Pierre Demalvilain. Lycéens et étudiants montraient qu'ils ne baissaient pas les bras.
Coll. Ch. Le Corre.

onze novembre

Continuant notre information;

Faisons comparaître le nommé BURGARD Marc
qui répond comme suit à nos questions :
- Je me nomme BURGARD Marc, Edouard, né le
22 Janvier 1923 à Barreguemines(Moselle) de Raymon
et de Thérèse FRANCEY, étudiant, dt. 12, Rue Pari-
gnon, Paris (7°), chez mes parents;
- Je suis Français; je suis élève à l'école de
Sciences politiques et à l'Université de droit(1°
année);
- mes parents subviennent à mes besoins;
- Je n'ai jamais eu affaire à la justice;

D. Vous avez été arrêté cet après-midi, vers
18 h., alors que vous manifestiez sur l'avenue des
Champs Elysées. Or, toute manifestation sur la voie
publique est interdite en application du D.L. du 23
Octobre 1935, et en particulier aujourd'hui onze
novembre/ Cette interdiction a été rappelée d'une
façon formelle par la voie de la presse. Fournissez
nous des explications à ce sujet ?
R. Je me suis rendu sur la tombe du soldat
inconnu à l'Arc de Triomphe à l'occasion de l'armis
tice. Comme je descendais l'avenue des Champs Elysé
du côté des numéros pairs, des voitures allemandes
ont"foncé"sur le trottoir, sans doute pour le débla
car il y avait un assez grand nombre de personnes.
J'ai eu juste le temps de me garer pour ne pas être
écrasé. Indigné, je me suis écrié :" Ah! les dégou-
tants !". A ce moment un soldat aviateur allemand
a voulu m'attraper; j'ai réussi à lui échapper. Le
soldat allemand est tombé. C'est alors qu'un agent
m'a arrêté. Certaines personnes chantaient la Marsei
laise, mais moi, je ne chantais pas.
D. Par qui avez-vous été invité à vous rendre
aujourd'hui à l'Arc de Triomphe ? Vous avez été
trouvé en possession de six tracts intitulés "étudiants de France" et vous invitant à vous rendre
au soldat inconnu à 17 h. 30'.
R. Ces tracts ont été remis à la Faculté de droi
par des étudiants que je ne connais pas.
D......

D.- D'où provient le tract intitulé " Aux Jeunes
Gens de France" et signé " Les Français Libres de France"
R.- Je ne sais pas. Il m'a été remis il y a une di-
zaine de jours par des étudiants que je ne connais pas/

Lecture faite, persiste et signe.

Un compte rendu de police suite à la manifestation et à l'arrestation de Marc Burgard, 17 ans, étudiant en sciences politiques.

Les réseaux F2 et Delbo-Phénix

Pierre Demalvilain a d'abord été membre du réseau F2, un réseau créé, dès l'été 1940, par des officiers polonais. Leur premier contact avec Londres a eu lieu le 22 août, grâce à un poste de radio de fortune. Baptisé F2 – « F » pour France et « 2 » parce que ce mouvement succédait à une organisation de renseignements des forces navales polonaises –, ce réseau regroupait, en décembre 1940, 162 résistants dont 95 Français. Spécialisé dans la collecte du renseignement, F2 a commencé par transmettre des informations sur les forces aériennes allemandes engagées au-dessus de l'Angleterre durant le *Blitz*. Il a, par la suite, étendu ses activités au domaine maritime et au domaine terrestre, surveillant les déplacements de troupes, de navires et d'avions, analysant les effets des bombardements, localisant des objectifs tactiques et relevant les emplacements des fortifications installées par l'occupant sur les côtes. À la Libération, le réseau comptait 2 658 agents (dont 23 % de femmes). Les Polonais représentaient alors 12 % des effectifs.

À partir de juillet 1942, Pierre Demalvilain a aussi travaillé pour le réseau Delbo-Phénix qui transmettait aussi aux Alliés des informations sur les implantations militaires allemandes. Ce réseau a d'abord été baptisé « Delbo », du pseudonyme de son fondateur, Émile Delannoy. Décapité après une série d'arrestations, le réseau a revu le jour dans la région de Niort et a pris l'appellation de « Delbo-Phénix ». Dans la région de Saint-Malo, Delbo-Phénix était dirigé par le docteur Jean Andréis. Né en Grèce en 1897, il sera arrêté le 3 mars 1944 et déporté à Dachau le 2 juillet.

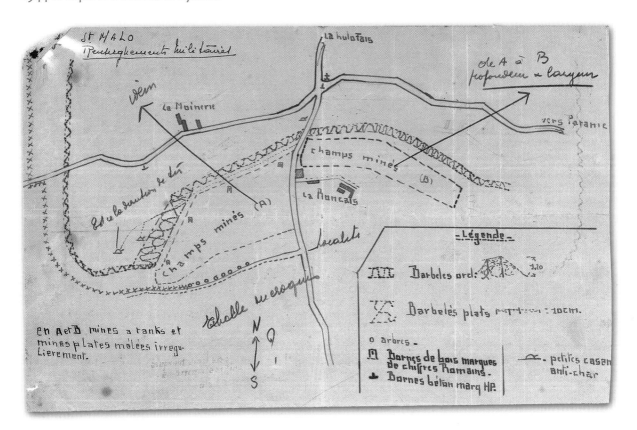

Un des relevés de Pierre Demalvilain. Ces relevés étaient transmis à Londres par les membres du réseau F2 puis Delbo-Phénix.
Coll. P. Demalvilain.

Une partie des membres du réseau F2. En haut, tout à droite, Pierre ; la photo sur sa gauche est celle du docteur Andreis, chef du réseau dans la région de Saint-Malo. Coll. P. Demalvilain.

Le Mans

Jean-Jacques Auduc
Croix de guerre à 12 ans, 1 mois et 12 jours

Jean-Jacques Auduc habite au Mans. Il est le plus jeune Croix de guerre de France puisqu'il a été cité à 12 ans, 1 mois et 12 jours. Sa bravoure et ses actes de résistance lui ont valu d'être fait Commander de la Cross of Liberty en 1946 par le général Eisenhower et d'être cité à l'ordre de la Nation en février 1946 par le général de Gaulle. Décoré de la Légion d'honneur en 1998, Jean-Jacques Auduc figure en tête de la Centurie des plus jeunes Croix de guerre de France, dont le président est André Morrel, lui-même cité à l'âge de 16 ans, 8 mois et 5 jours.

Je suis né le 9 juillet 1931, à Cérans-Foulletourte, près du Mans. Mon père, Alfred, qui est né en 1902, était constructeur d'éoliennes. Ma mère, Renée, était secrétaire de direction dans une organisation agricole.

Mon père avait été mobilisé au 6e régiment du Génie d'Angers. Il s'est trouvé le 9 mai 1940 en Belgique ; il était motocycliste. Il a vu les Allemands arriver dans un orphelinat où se trouvaient une centaine d'enfants, avec des bonnes sœurs et un prêtre. Au lieu de les chasser, les Allemands les ont tous massacrés. Mon père, ça lui a fait un choc épouvantable. Il s'est dit que s'ils étaient capables de faire ça là, les Allemands pouvaient le faire à ses propres enfants. C'est ce qui a déclenché sa décision de résister. Il a jugé que les Allemands n'étaient ni des hommes comme les autres ni des soldats comme les autres.

Il a été fait prisonnier mais a réussi à s'évader et à rentrer au Mans, en 1941. Très vite, il s'est mis à la recherche de gens qui

voulaient résister. Mais c'était pas évident : on n'allait pas s'inscrire à la Résistance comme au chômage.

En mai 1943, par des amis, il est entré en contact avec le chef d'un réseau mis en place par les Anglais pour implanter la Résistance dans le sud de la Sarthe. L'officier qui organisait ce réseau, le réseau Hercules-Buckmaster, s'est d'abord installé avec son poste émetteur chez le curé de Cérans-Foulletourte. Mais les Allemands circulant en permanence, ça devenait trop dangereux. André Dubois — c'était un Français qui avait rejoint l'Angleterre avant d'être parachuté en 1941 — est donc venu chez ma grand-mère, Marie Auduc, qui habitait en pleine campagne. C'était un avantage. En plus, elle n'avait pas l'électricité.

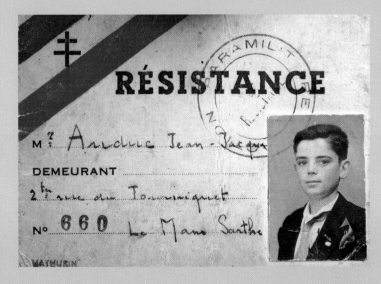

Un bombardier américain *B-17* au-dessus de la Sarthe.
Le réseau dirigé par Alfred Auduc a sauvé la vie à de nombreux aviateurs alliés. Jean-Jacques, lui-même, a accompagné certains de ces hommes qui tentaient de sortir de France. L'Amérique en a toujours été reconnaissante. En novembre 2007, Jean-Jacques Auduc et son épouse ont été invités aux États-Unis à l'initiative d'anciens combattants.
© Service historique de l'U.S. Air Force.

Les Allemands savaient bien qu'il y avait des émissions radio grâce à la gonio mais ils n'ont jamais pensé à venir chez ma grand-mère puisqu'elle n'avait pas l'électricité. En fait, le poste émetteur fonctionnait sous batterie.

Les réseaux s'étendaient jusque sur Paris et même dans le Nord. Il y avait des agents qui venaient de ces régions, pas tous les jours mais deux ou trois fois par semaine. Ils apportaient des informations ou des instructions qu'ils déposaient, au Mans, à l'hôtel de la Callandre. Là, il y avait un radiateur de chauffage central qui était spécialement aménagé pour recevoir les messages. On débouchait le radiateur et on mettait le message à l'intérieur. S'ils étaient arrêtés, ce qui arrivait malheureusement, les agents ne pouvaient pas dire grand-chose sur leurs contacts.

Mon travail était de récupérer les messages. Je venais, à bicyclette, de chez ma grand-mère. Je récupérais les messages ; j'en déposais d'autres que me donnait André Dubois. Et je rentrais à Foulletourte… 25 kilomètres à l'aller, 25 kilomètres au retour. J'avais 12 ans. Je franchissais les barrages allemands sans être inquiétée. Je cachais les messages dans la pompe de mon vélo.

Outre mes activités d'agent de liaison, on m'envoyait aussi dans les endroits où les adultes ne pouvaient pas aller. Par exemple, les Allemands avaient positionné sur le terrain d'aviation du Mans trois escadrilles de bombardiers *Junker*. Les Anglais les avaient repérées et ça les inquiétait. Ils ont donc demandé à Dubois de faire effectuer une mission de reconnaissance. Pas moyen d'en approcher ! On m'a envoyé avec un cerf-volant et je me suis approché le plus près possible. Les gardes – c'étaient de vieux soldats allemands – se sont même mis à jouer avec moi. À un moment, en me baissant, je me suis aperçu que les avions en question étaient en bois… C'était des leurres ! J'ai signalé ça. Les Anglais ont été rassurés. Ils sont quand même venus bombarder le terrain. Mais, avec leurs sens de l'humour, ils ont largué des bombes… en bois ! Il n'y avait qu'un enfant qui pouvait s'approcher sans éveiller la méfiance des soldats. C'était le 21 septembre 1943 ; pour cette action, je recevrai, le 13 juin 1945, la Croix de guerre avec étoile de vermeil.

Pendant les parachutages d'armes où il fallait être une douzaine, j'étais aussi dans le coup. Je servais de guetteur. On travaillait en famille : mon père, ma mère, ma grand-mère, mes oncles… On réceptionnait les containers dans un champ, derrière chez ma grand-mère. Quand les Allemands ont arrêté mes parents, ils ont trouvé 7 tonnes d'armes. Ces armes devaient servir en cas de débarquement. Au début, il était prévu pour 1943. Les Anglais prépositionnaient donc des armes : des fusils, des mitraillettes, des explosifs.

On a aussi travaillé pour le réseau Sacristain. Dirigé par un officier américain, il était plus spécialement chargé de récupérer les aviateurs abattus au-dessus de la France. On en a récupéré quatre. Ils sont restés un bon moment avec nous parce que les filières vers l'Espagne étaient bloquées, les passeurs arrêtés. Et puis, certains étaient blessés. Bon, on ne pouvait pas les enfermer pendant des mois. Moi, j'étais chargé de les sortir, un par un. Ce n'était pas évident. Moi, je ne parlais pas anglais et eux pas français. Un jour, je me suis fait arrêter avec un aviateur américain. Le sergent David Butcher était mitrailleur de queue dans un *B-17* du 384ᵉ groupe de bombardement de la 8ᵉ *Air Force*. L'avion avait été touché en vol et la queue a été coupée quand l'appareil a explosé tuant tout le monde, sauf David qui a été éjecté dans le vide. Heureusement, il a pu ouvrir son parachute. Ma mère lui avait remis des papiers d'identité qu'elle fabriquait. Il était soi-disant sourd et muet. La police allemande demande nos papiers. Mon Américain est vert de peur ; je lui ai serré la main pour qu'il ne fasse pas de bêtise. J'ai pris les papiers dans sa poche et je les ai tendus au policier. Il a regardé les papiers avant de me dire : « Frère ? » J'ai dit : « Ja, ja. — Grand malheur. Pas parler, pas entendre », a répondu l'Allemand avant de me tendre nos papiers : « Raus ! » David est resté un moment avec nous, pour nous aider avec le matériel que nous recevions. Il nous servait d'instructeur. Il réussira à s'enfuir lors de l'arrestation de mes parents. Il est mort, à 86 ans, en 2005 ; ses cendres ont été disper-

La stèle de Poillé-sur-Vègre, à la mémoire d'aviateurs américains tués en juillet 1943, est désormais flanquée d'une plaque à la mémoire du sergent Butcher, le mitrailleur de queue d'un B-17 détruit au-dessus de la Sarthe.
Photo P. Pécastaingts.

sées, par son petit-fils, à Poillé-sur-Vègre, à l'endroit où son avion et ses copains se sont écrasés. En juillet 1983, mon père avait fait ériger une stèle à cet endroit.

En fuite

En novembre 1943, mes parents ont donc été arrêtés sur dénonciation. Moi, j'étais parti chez ma grand-mère pour apporter des plis. Les voisins m'attendaient au bout de la rue : « Surtout tu rentres pas chez toi parce que la Gestapo t'attend. » Les Allemands voulaient absolument me prendre pour me faire parler. On avait prévu, en cas d'arrestation, que j'aille à Chartres, chez un commandant d'aviation. Je suis parti, sans argent, sans ticket d'alimentation, sans papiers ! Traqué par la Gestapo. Ne sachant pas ce que mes parents étaient devenus. À Chartres, le commandant m'a gardé une semaine ; mais il sentait qu'il allait être arrêté. Il m'a envoyé sur Paris.

Quelqu'un devait me réceptionner à Montparnasse. Je n'avais jamais mis les pieds à Paris. Personne n'est venu me chercher.

Le père de Jean-Jacques (2e en partant de la droite) et des membres de sa famille lors de leur retour en France, à la fin de la guerre. Renée Auduc, la mère de Jean-Jacques, est morte en 1949, des suites des tortures et mauvais traitements qui lui ont été infligés après sa capture. Coll. J.-J. Auduc.

La personne venait d'être arrêtée. Je suis resté tout seul. Paniqué. Heureusement, un porteur est venu me voir et m'a demandé d'où je venais. Quand il a su que je venais de la Sarthe, il m'a dit : « Moi aussi. » Il m'a recueilli. Il s'était marié la veille. Le lendemain, il m'a emmené chez des amis à lui. Les services anglais ont alors réussi à me retrouver. Ils m'ont donné une liste avec deux adresses où on pouvait m'héberger. C'est la période où j'ai fait tous les métiers : j'ai vendu des balais, j'ai été plongeur à Montmartre, j'ai promené des petits chiens. J'ai terminé chez les putes à Montmartre. Elles m'ont sauvé la vie. Chez elles, c'était bien chauffé, elles avaient à manger… Elles m'avaient pris en amitié et je leur dois absolument la vie. J'ai été très triste à la Libération quand j'ai vu que des résistants de la dernière heure les avaient tondues et promenées dans les rues. Entre-temps, mes parents avaient été déportés. La Gestapo ne s'intéressait plus à moi. J'ai pu rentrer chez ma grand-mère. J'ai repris l'école avec l'idée de m'engager dans les FFI pour aller libérer les camps et mes parents. C'est ce que j'ai fait à l'automne 1944. J'ai rejoint les FFI de Foulletourte. On traquait les Allemands en déroute. Mais je ne suis pas allé plus loin. J'étais trop jeune pour m'engager chez le général Leclerc. Les Anglais m'ont récupéré,

A Chatou, des Françaises accusées d'avoir eu des relations avec des Allemands ont été tondues. L'épuration et certaines de ses pratiques ont navré Jean-Jacques qui doit sa survie à quelques prostituées parisiennes. Coll. Ch. Le Corre.

Les réseaux Buckmaster

Les réseaux Buckmaster ont été créés par Maurice Buckmaster (1910-1992). Éduqué à *Eton College*, il a fait une partie de sa carrière en France, en tant que directeur de la *Ford Motor Company*. Engagé dans l'armée britannique en 1939, il est devenu en septembre 1941 le chef de la section française du *Special Operations Executive*, le SOE, dont le but était, d'une part, d'équiper et de former la résistance française et, d'autre part, de collecter des renseignements sur l'ennemi. Le premier agent français du SOE a été parachuté en France, le 5 mai 1941 ; il s'appelait Georges Bégué. C'était le premier des quelque 1 500 agents que le SOE allait déployer dans les zones occupées. Quatre-vingt-onze hommes et treize femmes du SOE ont payé de leur vie. Un mémorial leur a été dédié à Valençay, dans l'Indre.

Maurice Buckmaster a raconté l'aventure du SOE et de ses réseaux (95 au total) dans deux livres : *Special Employed* (1952) et *They Fought Alone* (1958).

Réseaux Hercule-Buckmaster

Kapitan JEAN-ROGER ANDRÉ DUBOIS. ps. „Andre Dubreuil", „Hercule", „Lighterman". „Mistral". Urodzony 19.05.1906 r. w St. Germain. Wylądował w kwietniu 1943 r. jako członek komórki DON-KEYMAN. Zlapany w listopadzie 1943 r.

SPIRIT OF RESISTANCE

encore une fois. Ils m'ont emmené en Angleterre. J'ai vécu dans une famille d'officiers jusqu'au retour de mes parents.

Ma mère est rentrée. À Ravensbrück, elle était dans un *Kommando* où on faisait des expériences sur les femmes. 98 % d'entre elles finissaient au four crématoire. Ma mère a survécu. Ils l'ont envoyée, ensuite, en Tchécoslovaquie, dans une usine de poudre à canon. Là, ça lui a brûlé les poumons. Elle est rentrée tard, après avoir été soignée en Suède. Elle est décédée à 41 ans, en 1949. Mon père

est revenu de Buchenwald, ainsi que deux de mes oncles. Le troisième est resté à Mauthausen. Mon père pesait 38 kilos et il n'a pas pu reprendre son métier. Moi, je me suis mis à travailler dans les forêts après avoir suivi des cours de sylviculture par correspondance.

En fait, j'avais tout perdu. J'avais perdu ma jeunesse, j'avais perdu ma mère, je n'avais pas fait d'études… En forêt, j'étais bien, parce que je ne voulais plus voir les humains. Plus je vieillis, plus ça se confirme. Aujourd'hui, je suis le seul survivant du réseau, sur 104.

André Dubois, du réseau Buckmaster, a été parachuté en 1941 et s'était installé, avec son poste émetteur, chez la grand-mère de Jean-Jacques.
Coll. J.-J. Auduc.

À gauche :
La Centurie des plus jeunes Croix de guerre de France, avec (à droite) André-Joseph Morel, son Centurion. La Centurie s'est réunie en septembre 2007, à Châtillons-sur-Chalaronne.
Coll. A.-J. Morel

Ci-contre :
Jean-Jacques Auduc en 2007. Le plus jeune Croix de guerre 1939-1945 !
Coll. J.-J. Auduc.

Reymond Tonneau
Le miraculé du Vercors

Vercors

Forteresse naturelle dans la Drôme, le massif du Vercors a été choisi, en 1943, comme base d'accueil d'éléments aéroportés chargés de couper la retraite aux troupes allemandes entre Grenoble et Valence, lors de la libération du territoire. Dès le 6 juin 1944, des centaines de volontaires ont rejoint les réfractaires et les maquisards déjà établis dans le massif. Aussitôt, l'armée allemande a encerclé le massif et est passée à l'attaque. Abandonnés par les Alliés, les résistants ont subi de lourdes pertes. Près de 850 ont été tués. Reymond Tonneau, lui, a échappé à la mort. Il raconte son engagement à 16 ans et la tragédie des Belles.

Je suis né le 26 juillet 1926, à Romans. Mon père, originaire du Nord, avait épousé la fille d'un camarade de guerre de son propre père et il s'était installé à Romans où il s'était reconverti dans le milieu de la chaussure. Il allait devenir opérateur pour la *United Shoe Machinery* qui louait les machines aux fabricants de chaussures. Mes parents ont eu quatre enfants : Félix dit « Zizou », moi, Jean-Claude et Michel.

Mon père avait été pris par les Allemands pendant la guerre de 14-18 pour avoir volé deux pains. Battu à coups de ceinturon, il avait ensuite été déporté en Allemagne d'où il avait pu s'échapper en sautant d'un train en marche. Mon grand-père maternel, Marius Gay, considérait les Allemands comme des gens sans foi ni loi. Tous les jours, nous avions droit au refrain sur la guerre qui allait arriver et à l'ambition d'Hitler qui voulait conquérir le monde. À cette crainte familiale venait s'ajouter le sou-venir des Poilus, parents ou amis, victimes de la guerre de 14-18. Une seule génération nous séparait de cette guerre. Nous étions bien conscients qu'un nouveau conflit se préparait.

Le 3 septembre 1939, à la déclaration de guerre, j'avais 13 ans et 2 mois. C'est dans une atmosphère de guerre, de privations, d'épouvante, de rumeurs, de barbarie et de traîtrise que nous avons quitté l'enfance pour aborder l'adolescence. Le rationnement alimentaire nous affamait. Il m'est arrivé, avec des copains, d'aller voler dans les boulangeries. En famille, nous en étions arrivés à peser, chaque matin, le morceau qui revenait à chacun. La situation devenait dramatique ; il nous fallait absolument réagir, nous révolter et lutter.

Page de gauche :
Juin 1944, à la Balme de Rencurel.
Reymond tient le fanion « Revanche » entre les mains. Son frère Félix (dit Zizou) est le 2e en haut, en partant de la droite. Au cœur du massif du Vercors, la Balme allait devenir le point de ralliement des maquisards.
Coll. R. Tonneau.

Tickets de rationnement.
Coll. Ch. Le Corre.

A la Balme de Rencurel, avec la Traction Avant qui servait aux expéditions. Félix et Reymond sont sur le toit.
Coll. R. Tonneau.

C'est l'époque, vers février 1940, où je suis devenu assistant aux Éclaireurs unionistes. Félix, mon frère, fut totémisé « Élan sympathique ». Nous avions rejoint les Éclaireurs unionistes, quelques années auparavant, grâce au pasteur Fabre qui habitait à deux pas de

Affiches de propagande de la milice sur lesquelles ont été tracées des croix de Lorraine.
© Musée d'histoire contemporaine - BDIC.

chez nous. Ce furent des années d'enchantement : les B.A., les feux de camp, les jeux de pistes, les camps au Vercors. Le scoutisme, ce fut pour mon frère et moi une extraordinaire ouverture à la vie : obéissance, devoir, respect, aide à son prochain, amour de la patrie et de la famille, loyauté, respect des droits de l'homme et de l'humanité. Avant la guerre, nous nous occupions des nécessiteux de Romans. Après la déclaration de guerre, les Éclaireurs ont aidé les réfugiés alsaciens et lorrains, des gens complètement démunis, chassés par trains entiers. Les Allemands les avaient fichus dehors. On passait nos soirées et nos week-ends à les aider, à leur trouver un hébergement.

Le 22 juin, les Allemands ont investi Romans que la population avait déserté. Ils ont été bloqués par les ponts détruits et par la résistance de quelques soldats français qui refusaient de capituler. Finalement, la résistance a cessé et, le 26, la population a pu regagner la ville. Nous avons rencontré nos premiers Boches ; ils nous toisaient de leur supériorité de vainqueurs. Il allait falloir supporter leur arrogance, leurs railleries…

En 1941, j'ai quitté l'école et j'ai trouvé un emploi chez Belle et Rocher où je fabriquais des cartons. Je faisais aussi des heures supplémentaires chez un imprimeur. Petit à petit, je suis entré « en résistance » : je fabriquais des tampons « Vive de Gaulle », je collais des tracts en ville, on saccageait les affiches de la Milice. Jusqu'au jour où on est passés à des sabotages. On n'était pas des enfants-soldats. Les enfants-soldats ont une formation, un peu comme Hitler avait formé ses jeunes. Nous, on n'avait pas de formation. Et puis, nous nous sommes révoltés. Contre les Allemands, la Milice, les légionnaires de la LVF, la Légion des volontaires français. Contre Pétain, même si au début on croyait qu'il allait sauver la France. On avait une haine de minot. Au lieu de faire des tags, on marquait « À mort Hitler », « À bas Pétain ». On avait entendu parler, nous les jeunes de 1940, de trois guerres contre les Allemands : 1870, 1914, 1939 !

Le 15 mars 1943, je me suis engagé dans les Forces françaises de l'Intérieur. J'avais 16 ans et demi. Je suis entré dans le groupe Abel, dont le chef était le commandant Hervieux. La Maison des jeunes, dirigée par Paul Jansen, un résistant de la première heure, constituait le bastion de la Résistance.

En octobre 1943, la Résistance était en plein développement dans la Drôme. La riposte allemande allait être sévère : interdiction de former des groupes en ville, de fabriquer des tracts, d'écouter Radio-Londres, d'aider un réfractaire ou un résistant. La circulation fut interdite de nuit. Ils organisèrent des rafles. Les miliciens redoublaient de zèle. Par mon frère Félix qui avait été contrôlé à un barrage, j'ai appris que j'étais recherché comme suspect. Il fallait être pru-

dent. Pourtant, Romans donnait l'impression d'une ville en pleine révolution. La Résistance amplifiait ses actions : attentats, exécutions de collabos. Et tout le monde attendait le Débarquement allié.

Au cœur de l'action

Le 6 juin 1944, Radio-Londres annonce : « Le chamois des Alpes bondit. » C'est l'ordre de rejoindre les maquis. Le 9 juin, mon groupe reçoit son ordre de marche. Félix et moi demandons l'autorisation à nos parents ; la majorité étant à 21 ans, nous ne pouvons pas partir sans leur consentement. Après deux heures de discussion, ils acceptent. Ce départ n'a rien de comparable avec nos sorties aux camps scouts. Nous sommes partagés entre exaltation et anxiété car, si nous partons comme engagés volontaires, nous affronterons peut-être aussi la mort. Un camion chargé de résistants s'arrête pour nous prendre. Direction : le Vercors, une forteresse naturelle faite de parois et de montagnes

Sur un marché de Romans, des légionnaires fouillent des passants. Ces miliciens portent un béret basque auquel était agrafé un insigne : un écu tricolore frappé d'un casque ailé et d'un glaive. Coll. R. Tonneau.

Des résistants dans le massif du Vercors. 4 000 maquisards ont tenté de résister à 15 000 soldats aguerris et bien équipés. Sans soutien de la part des alliés, les maquisards ont été submergés. © Musée de la Résistance, Vassieux-en-Vercors.

L'évacuation de Romans, le 21 juin. 20 000 habitants ont dû quitter leurs maisons avant l'entrée des troupes allemandes. Le 26 juin, à leur retour, la ville était occupée. Coll. R. Tonneau.

infranchissables, si ce n'est par des routes longeant des gorges abruptes.

Une fois dans la montagne, à La Balme-de-Rencurel, nous réalisons que, aux yeux des Allemands, de la Milice, de Vichy, nous sommes des terroristes et que nous n'avons pas droit à la pitié. Dès le lendemain, des instructeurs du 12e bataillon de chasseurs alpins et des parachutistes américains commencent notre instruction. Mitrailleuses, fusils-mitrailleurs et mitraillettes sont désormais nos compagnons de guerre. Nous prenons du plaisir à jouer aux fantassins, rampant, sautant, zigzaguant… Cette préparation à la guerre, même si elle semble être un jeu, nous laisse deviner combien notre tâche sera difficile si, demain, nous nous trouvons face à la riposte de l'ennemi. Au bout de quelques jours, on nous envoie renforcer un poste de garde à l'entrée du village de

Pont-en-Royans. En cas d'attaque, notre équipe est sacrifiée. Elle doit faire sauter le pont et retarder l'ennemi. Nous y passons huit jours puis regagnons La Balme. C'est l'époque où je suis un stage d'infirmier à l'hôpital de Saint-Martin-en-Vercors. Une ouverture vers ma future profession ? Je retrouve Paul Jansen et sa section qui ont rejoint La Balme. Leur convoi a été attaqué par des chasseurs allemands. Il nous donne des nouvelles dramatiques de Romans : les résistants torturés, les femmes violées… J'apprends aussi que les Allemands ont encerclé le Vercors. Quatre mille maquisards qui manquent d'armes face à quinze mille Allemands dont les avions photographient nos positions ! Le capitaine Bonnardel, notre chef, nous confiera bientôt son inquiétude quant à notre « devenir » et sa crainte de voir Alger nous lâcher. Les milliers de parachutistes promis et les armes lourdes ne viendront pas. Mais ça, on ne le sait pas encore…

Malgré tout, le 3 juillet, la République française est restaurée dans le Vercors et le Comité de libération nationale du Vercors assume les pleins pouvoirs. Le 14 juillet, nous sommes envoyés à Vassieux-en-Vercors où a été aménagé un aérodrome. Un parachutage d'armes est annoncé. À nous de rapporter du matériel pour notre compagnie. Soixante-douze « forteresses volantes » vont larguer huit cents containers. Mais la chasse allemande s'en mêle et nous assistons à un combat aérien d'une incroyable intensité. Pire, les Allemands sont arrivés en force sur le lieu du parachutage. Les résistants chargés de réceptionner les armes ont été attaqués à découvert. Nous nous replions les mains vides. Les attaques allemandes vont alors se multiplier. Trois divisions allemandes encerclent le Vercors. Leur aviation nous bombarde quotidiennement. Le combat qui s'annonce va être d'une inégalité assassine. Les télégrammes désespérés que nos chefs envoient aux alliés ne changent rien.

Le général allemand Pflaum préparant l'attaque du massif. Acheminés par planeurs, ses hommes vont investir le terrain d'aviation de Vassieux et massacrer les habitants du village, le 22 juillet. Deux jours plus tard, les Allemands investissaient le hameau de Valchevrière.
© Musée de la Résistance, Vassieux-en-Vercors.

Le 22 juillet, des planeurs se posent sur le terrain de Vassieux. Mais ils sont Allemands. Les habitants, qui croyaient que les Alliés débarquaient, sont massacrés ; soixante-douze périssent et le village est détruit. Cette tragédie provoque l'éclatement du maquis. Le 23, nous recevons l'ordre de dispersion. C'est désormais chacun pour soi.

Nous rejoignons, Félix et moi, un groupe de Romanais. Nous sommes dix-huit. Nous marchons plusieurs jours dans la montagne, chargés d'armes et de munitions, tiraillés par la faim. Nous savons que la bataille fait rage : le bruit des bombes et de la mitraille le prouve. Le 26 juillet, j'ai 18 ans. Félix m'offre un morceau de pain que je partage aussitôt en dix-huit parts. Je ne sais pas encore à quel point cet anniversaire fêté en pleine bataille marquera ma vie entière.

Pris au piège

Le 28, nous décidons qu'il est temps de tenter notre chance et de descendre dans la vallée. Nous scindons notre groupe en deux. Et le lendemain matin, Félix, moi et sept autres résistants prenons la route de Malleval puis du village des Belles. Après trois heures de marche, vers neuf heures du matin, nous tombons dans une embuscade. Tout prouve que nous étions attendus ! Nous sommes piégés dans une sorte de cul-de-sac naturel. À coups de grenades et de rafales de mitraillettes, nous

Reymond (à gauche) avec ses parents et son grand-père, sur la prairie des Belles où est tombé Félix. La photo date du 29 juillet 1944. La pente est très forte.
Coll. R. Tonneau.

À droite en haut : **Félix Tonneau (20 ans), Maxime Mayet (35 ans), Jean Cheval (17 ans) et Camille Lacour (17 ans) : quatre maquisards du 12e bataillon de chasseurs alpins tués au combat des Belles.**
Coll. R. Tonneau.

tentons de regagner la forêt. Je reçois alors une balle dans la fesse droite ; elle explose à quelques millimètres de ma colonne vertébrale. Puis c'est mon frère qui est touché aux reins par une balle explosive. D'un bond, je le charge sur mes épaules mais il ne bouge plus, il est mort. Il me reste 5 ou 6 mètres à parcourir avant d'être à l'abri lorsque quatre Allemands surgissent. Ils nous mettent en joue. Je dépose le corps de Félix. Jean Cheval (dit « Jeannot »), mon ami d'enfance, est à mes côtés. « Terroristes, terroristes », crient-ils, avant de nous rouer de coups de crosse et de coups de pied. Un coup à la

La croix de Lorraine installée, à cause de la forte déclivité, à 200 m de l'endroit où Félix a été tué. La croix a été rénovée en 1998 et porte les noms de Félix et de ses trois camarades. Coll. R. Tonneau.

tempe droite me jette au sol. Je me relève, hébété de souffrance. Je réussis quand même à saisir mon ultime grenade. En un éclair, je la dégoupille, la jette et pars en courant. Je bascule sur la pente abrupte. Comme un lapin tué en pleine course, je bascule sur 150 ou 200 mètres. Quand je retrouve mon équilibre, je vois Jeannot qui s'écroule à 2 mètres de moi, tué par une rafale en pleine poitrine. Une balle m'a éraflé la tête mais je suis vivant. Pour échapper aux tirs et à mes poursuivants, je me jette dans un ravin. J'ai la chance extraordinaire d'être accroché par une branche d'arbre puis par une autre, ce qui diminue ma vitesse de chute. Ballotté de branche en branche, je me retrouve au sol, meurtri mais indemne. Plus tard, j'apprendrai que la hauteur de ce ravin est de 36 mètres. Je rampe sur 150 mètres puis décide de grimper à la cime d'un arbre. Je vais y passer quatorze heures. Je souffre des reins ; j'ai mal à la tête, mal à la tempe et à l'oreille droite. Une blessure à l'auriculaire de ma main droite s'est rouverte. Vers minuit, je descends de mon arbre. Je remonte le ravin jusqu'au chemin des Belles. Je commence à ramper dans un champ de blé. Mes consignes de Scouts me reviennent à l'esprit : un champ de blé est tout jaune, donc plus clair la nuit ! Si je rampe droit, les Allemands pourraient remarquer une traînée noire remontant vers la forêt. Finalement, je m'enfonce dans la forêt où je m'endors d'épuisement. À mon réveil, je décide de gagner les gorges du Nan puis le village de Cognin. Je me mets en route, obligé de faire des détours à cause d'à-pics infranchissables. Soudain, un crépitement me fait sauter. On me tire dessus ! Je fonce de nouveau vers la forêt puis vers le fond de la gorge. Je cours dans le torrent pour que les chiens que j'entends japper perdent ma trace. Au sortir de la gorge, j'aperçois une maison ancienne. Je grimpe le raidillon qui mène à

la ferme pour demander de l'aide lorsque je découvre que les Allemands sont là. Je fais demi-tour et repars vers le torrent. Deux sentinelles me repèrent, ouvrent le feu... Des dizaines d'Allemands surgissent et se lancent à ma poursuite en tirant dans tous les sens. Je réussis à me cacher dans un boqueteau suspendu au-dessus de la rivière, j'y reste jusqu'à l'aube. Je viens encore d'échapper aux Allemands.

Reymond Tonneau a été cité comme témoin lors du procès de Paul Colonna, « prévenu d'intelligence avec l'ennemi ».
Coll. R. Tonneau.

AMICALE DES PIONNIERS ET DES COMBATTANTS VOLONTAIRE DU VERCORS

PERMANENCE GÉNÉRALE :
1, RUE DE LA LIBERTÉ
GRENOBLE
Téléphone : 50-19

Certificat

Le Capitaine de Réserve Vincent Président des Pionniers du Vercors de Romans, ex-Intendant Général des Camps du Vercors en 1943 et chargé du recrutement de la Cie Civile de Romans certifie que M. TONNEAU Raymond né le 26-7-28, domicilié Rue Pasteur à Romans a été incorporé à la Cie de Romans en juillet 1943. Pendant l'automne 1943 et le printemps 1944 il fut chargé de diverses missions (liaisons-ravitaillement) et fait partie de la Compagnie Abel pendant les opérations militaires du Vercors.

Romans, le 22 Août 1946

Une attestation du 22 août 1946, signée par le capitaine de réserve Vincent. Elle précise que Reymond a été incorporé à la compagnie de Romans en juillet 1943.
Coll. R. Tonneau.

Au lever du jour, je me dirige vers le village de Cognin. La famille Buisson m'accueille malgré le danger. Mme Buisson soigne mes blessures. Ils me servent un café au lait et des tartines. Je n'ai pas mangé depuis six jours. Je repars bientôt en me cachant au bord de l'Isère ou dans les bois. Mais les patrouilles allemandes sont partout. Elles fouillent les maisons, les mettent à sac. Ne trouvant aucun moyen de franchir l'Isère, je décide de retourner chez mes sauveurs du matin. Ils me conseillent d'aller chez leur jeune voisine, Rose Cret. Son frère a une barque et il fait traverser les résistants. Je serai le vingt-sep-

tième ou le vingt-huitième à être sauvé. Rose Cret, une femme admirable de courage et de dévouement, me conduit dans le foin de son grenier. Un peu plus tard, elle revient : « Partez vite. Les salauds sont là. Ils tirent sur tout ce qui bouge. » Elle m'envoie me cacher au bord de l'Isère. À la tombée de la nuit, elle me prévient que son frère va venir me chercher. Vers minuit, je traverse enfin la rivière en barque. Quels magnifiques résistants anonymes que cette jeune femme et son équipe ! De l'autre côté, on me donne des vêtements, le docteur Lucquet me soigne et, le 3 août, j'arrive enfin à Romans, au nez et à la barbe des Allemands.

Je rentre chez mes parents. Mon arrivée donne lieu à une explosion de joie, ternie par l'inquiétude et le cri de ma mère : « Et Zizou ? » Il m'est impossible de dire la vérité. Ce n'est que vers le 10 août que je confie à mon père ce qui s'est passé. Il décide de partir dans la montagne chercher le corps de mon frère. Il le découvrira, avec trois autres cadavres, près des Belles. J'apprends que je suis le seul survivant sur le groupe de neuf résistants. En fait, un autre a survécu : Saraillon. C'est lui qui nous a trahis ; il sera condamné à mort à la Libération…

Le 22 août, les Romanais passent à l'attaque pour chasser l'envahisseur. Deux jours de combat, auxquels j'assiste impuissant depuis ma cachette : mes blessures, un début de gangrène, un urticaire géant provoqué par une allergie au sérum antitétanique font de moi un spectateur. Il faudra attendre le 30 pour que la ville soit libérée. Je veux m'engager dans les parachutistes. Mais mon père me l'interdit. « Un fils suffit », me dit-il. Ma deuxième vie commence ; je n'ai que 18 ans.

Un long silence

Après la guerre, je suis retourné en usine. Je travaillais dans la chaussure. Je ne m'y suis pas plu. En plus, le drame que j'avais vécu m'avait marqué. On me demandait sans arrêt de raconter mon aventure et la mort de mon frère. Je n'en pouvais plus. J'ai décidé de changer de vie. J'ai préparé et réussi un examen pour devenir moniteur de colonies de vacances. Je suis parti à Villard-de-Lans, dans le Vercors, où un hôtel avait été réquisitionné pour accueillir des enfants victimes de guerre. J'y ai passé un hiver, avec des instituteurs, des infirmières et des jeunes qui étaient épatés par ce que j'avais fait. Et moi j'étais épaté de me retrouver avec des gars de 20 ans qui étaient bacheliers. En fait, je me sentais un peu con devant eux. Je me suis dit qu'il fallait que je fasse quelque chose. Une de mes amies s'est mise à me faire travailler pour que je passe un examen de moniteur d'éducation physique. J'ai réussi le concours et je suis parti à Châtelguyon pour suivre ma formation. Je suis sorti major ! Mon premier poste m'a ramené à Romans, d'abord dans un collège puis dans un lycée de jeunes filles. J'avais 21 ans.

Vivre à Romans me rappelait trop la guerre. J'en souffrais. J'ai décidé de partir pour Marseille, où on m'a proposé un poste au lycée libre Lacordaire. J'y ai travaillé pen-

dant seize ans comme prof de gym. J'étais de plus en plus attiré par les manipulations : quelqu'un se faisait mal, je lui manœuvrais un poignet ou une cheville… J'ai donc préparé l'examen de kinésithérapeute. J'aurais dû avoir droit à une équivalence. Parce qu'il me manquait trois semaines d'ancienneté, j'ai dû aller en fac. J'étais un des plus vieux ; j'avais 31 ans. On me regardait un peu de travers. Mon diplôme en poche, j'ai ouvert un cabinet. Ma clientèle s'est vite étoffée, mon

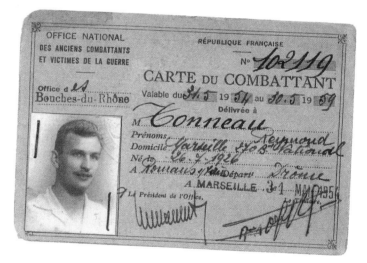

Deux cartes du combattant remises à Reymond en mars 1954. C'était l'époque où il voulait oublier les morts mais où sa haine des Allemands était encore intense.
Coll. R. Tonneau.

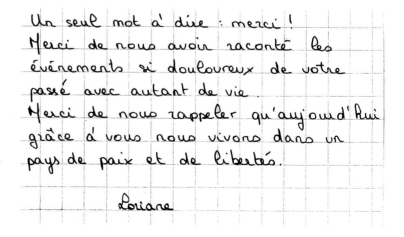

> Messieurs, Madame
>
> Je tenais à vous remercier pour le temps que vous nous avez consacré : votre témoignage m'a particulièrement bouleversé, mon grand-père et mon grand-oncle ont été tous deux résistants. Ils sont morts. Morts avant avoir pu me transmettre leurs souvenirs et leurs histoires. Merci pour le sacrifice de votre jeunesse afin que les générations futures puissent vivre dans la paix et le respect mutuel. Merci pour cet avertissement donné contre les idées de haine et de violence. Vous pouvez compter sur moi pour entretenir cet héritage qui nous a été confié : même si je ne suis pas certain d'agir comme vous, de renoncer à mon insouciance et à ma jeunesse ; j'ai le pouvoir de transmettre votre sacrifice. En souhaitant que cela sera suffisant.
>
> Gauthier

passé de résistant m'aidant bien. J'ai continué à me former : ostéopathie, auriculothérapie, sophrologie… Vers la fin de ma carrière, j'ai fait beaucoup d'accompagnement à la mort. J'ai pris ma retraite en 1991, à 65 ans. Depuis, je fais du bénévolat en sophrologie, en accompagnement à la mort…

Et puis je me suis lancé dans le témoignage. J'avais pourtant tiré un trait sur la Résistance ; je ne voulais plus en entendre parler. Je n'allais jamais aux cérémonies ; mais, une fois par an, en cachette, je montais dans la montagne. J'en tremblais. Et j'étais anti-Allemand. Je voyais une voiture allemande, je lui faisais une queue-de-poisson. Un jour, en voyage à Paris, j'ai failli en faire passer un du haut de la tour Eiffel. J'avais la haine : ils avaient tué mon frère, mes amis… Un jour, mon père m'appelle pour me dire de ne pas venir passer le week-end. « Je pars en Allemagne », me dit-il. J'étais abasourdi. Il m'a expliqué que Romans s'était jumelée avec une commune allemande. « Tu réalises ce que tu fais ? Ils ont tué ton fils ; moi, ils m'ont massacré. — Mon petit, mon petit,

Depuis 2003, Reymond Tonneau fait des conférences dans les écoles pour y parler de la Résistance et du Vercors. De nombreux enfants lui ont envoyé des lettres pour le remercier. En 2003, Reymond Tonneau a écrit un livre préfacé par l'abbé Pierre : *Vercors… Pays de la Liberté. Histoire d'un miraculé* (aux Éditions du Signe). Plus récemment, en décembre 2007, ses aventures ont fait l'objet d'une bande dessinée : *A 18 ans, sous les balles au Vercors* (dessin de Norma, publié aux Éditions du Signe).
Coll. R. Tonneau.

> Un seul mot à dire : merci !
> Merci de nous avoir raconté les événements si douloureux de votre passé avec autant de vie.
> Merci de nous rappeler qu'aujourd'hui grâce à vous nous vivons dans un pays de paix et de liberté.
>
> Loriane

réfléchis. Je sais qu'ils ont tué mon fils, qu'ils t'ont estropié. Mais enfin, on ne va pas se battre tous les vingt ans avec les Allemands ! Faut fraterniser… »

Il m'a mis ça dans la tête. C'est lui qui avait raison. De ce jour-là, j'ai arrêté de haïr les Allemands. Au point que j'ai accepté, après la sortie de mon livre sur les combats du Vercors, de recevoir un jeune journaliste allemand. Il m'écrit, on s'embrasse… Il est même venu dans le Vercors avec son père pour visiter les lieux de combats.

Celui qui m'a poussé à témoigner, c'est l'un de mes petits-fils, Brice. À 15 ans, il m'a demandé pourquoi je ne parlais jamais de la guerre, du maquis. « Je ne voulais pas vous en parler, vous faire souffrir ou vous traumatiser. J'ai tiré un trait. — Si je te demandais de m'emmener dans le Vercors, tu m'emmènerais ? — Si tu me parles comme ça, on fait le tour. Sans méchanceté. — Non, non, c'est pour savoir. »

On a fait le tour : le Mémorial de la Résistance, le cimetière de Vassieux, la grotte de la Luire, les fusillés de La Chapelle-en-Vercors ; de là, on est allé à Malleval. On a même recherché l'arbre où j'étais monté… Au retour, il m'a dit que je n'avais pas le droit de me taire et que les jeunes ne savaient rien de tout ça. « Il faut que tu écrives un livre. » Je laisse traîner ; il passe son bac, rentre dans une école d'ingénieurs. En 1997, il meurt dans un accident de moto. Trois semaines après son accident, on a trouvé, dans le tiroir de son bureau, trois pages que j'avais écrites en 1945. Je me suis dit : « Il t'a demandé d'écrire ; il faut que tu le fasses. » Je m'y suis mis. L'abbé Pierre, avec qui j'étais en contact, m'a trouvé un éditeur. J'ai publié *Vercors, pays de la liberté* en 2003.

Le hasard a fait que j'ai rencontré Robert Veyret, l'auteur d'un livre (*Le Chemin du Nan*) sur les combats du Vercors et la Croix de Lorraine de mon frère. Il était conseiller géné-ral. J'ai pris contact avec sa permanence. « Ah ! Monsieur, si c'est pour parler du Vercors, il va vous rappeler dès ce soir. Il n'a que ça en tête », m'a dit sa secrétaire. On s'est rencontrés, on a fait connaissance et, depuis, on ne se quitte plus. C'est sur un terrain appartenant à ses parents, à Cognin, que le maquis auquel appartenait l'abbé Pierre a été massacré. C'était le 29 janvier 1944. Maquis détruit, village détruit. Robert Veyret avait 10 ans. Après la guerre, il a souvent entendu ses parents parler du drame de Cognin, de celui de Vassieux et d'un corps qui n'aurait jamais été retrouvé. En fait, il s'agissait du mien. Mais j'avais survécu.

Une fois mon livre paru, des gens ont commencé à me contacter pour que je vienne en parler. Beaucoup d'enseignants me demandent encore de venir témoigner. Depuis 2003, je n'arrête pas. J'ai déjà dû voir plus de 5 000 élèves. On m'a même demandé de faire une BD pour raconter mon aventure !

Reymond Tonneau (à droite), en 2007, devant la croix de Lorraine des Belles.
Coll. R. Tonneau.

Vabre

Théo Bohrmann
Le petit couturier du maquis de Vabre

Théo Bohrmann habite à Strasbourg, ville qu'il a dû fuir en 1939 lorsque la zone frontalière entre la France et l'Allemagne a été évacuée. Ses parents ont trouvé refuge dans le Tarn, à Vabre, pays où la résistance est une tradition. La montagne environnante, sauvage et difficile d'accès, s'y prête. Théo avait 15 ans lorsqu'il a rejoint le maquis.

Je suis né en Allemagne, en mars 1929. Très vite, mes parents ont décidé de quitter le pays pour gagner la France. Le régime hitlérien, les persécutions contre les Juifs… les ont convaincus de partir. On s'est installés à Strasbourg. On y est restés jusqu'en 1939. Quand la région frontalière a été évacuée, toute la famille est partie vers le sud. Nous avions une cousine en Corrèze qui nous a accueillis, mes parents, ma sœur et moi, de 1939 à 1943.

Le mari de cette cousine, capitaine et ingénieur dans l'aéronautique, avait été envoyé aux USA, en février 1940, pour y acheter des avions de chasse. Il avait refusé de revenir en France pour servir Pétain. Le frère de cet officier était en Syrie, en 1941. Lui avait refusé de suivre le général Dentz et de rentrer en France. Il s'était engagé dans les FFL. J'avais 10 ans à l'époque, je détestais les nazis et leurs complices français. J'étais assez conscient de ce qui se passait autour de moi : il m'arrivait d'acheter des journaux ; une partie de ma famille vivait en clandestinité, dont des oncles et des tantes qui avaient échappé à une rafle en août 1942.

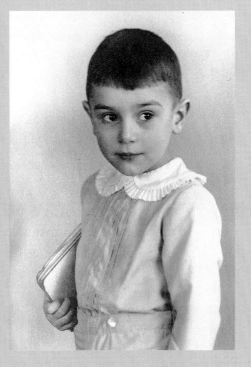

Théo est arrivé à Vabre en 1943, après avoir vécu en Corrèze, entre 1939 et 1943. À Vabre, « tout le monde était résistant », dit-il.
Coll. Th. Bohrmann.

Page de gauche :
Théo Bohrmann et sa famille.
Celle-ci a fui l'Allemagne au début des années 1930, s'est réfugiée à Strasbourg où la guerre va la surprendre. En 1939, tous les habitants ont dû quitter la zone frontalière. Son cousin, âgé de vingt ans, était caché chez ses parents pour éviter le S.T.O. Au maquis dès le 6 juin 1944, il lui a donné l'exemple.
Coll. Th. Bohrmann.

En janvier 1943, pour des raisons de sécurité, nous sommes partis pour Vabre, dans le Tarn. Je n'allais pas à l'école parce qu'il n'y avait pas de cours complémentaire. Il aurait fallu que j'aille en pension à Castres, mais comme on n'avait pas beaucoup d'argent, je suis resté au village. Je travaillais un peu chez les paysans ; je gardais les vaches et les brebis. Une bouche de moins à nourrir !

À Vabre, tout le monde était résistant. C'était une tradition qui remontait aux cathares et aux camisards. Là, j'ai rejoint un groupe d'Éclaireurs unionistes dirigé par Guy de Rouville, qui allait devenir le chef du maquis de Vabre. Tous mes chefs avaient rejoint ou allaient rejoindre la Résistance. Quand je suis arrivé, ce n'était pas une résistance armée. On cachait des gens : des réfractaires, des Juifs, même des réfugiés ou des déserteurs allemands. Résister, c'était donc naturel.

En 1944, lors de la mobilisation générale, après le Débarquement en Normandie, j'ai voulu rejoindre le maquis, comme tous mes camarades Éclaireurs unionistes et israélites. Quand je me suis présenté, on m'a dit que j'étais trop jeune pour entrer dans une unité combattante. Le maquis de Vabre regroupait alors trois compagnies, dont une était majoritairement composée de résistants juifs. « En revanche, m'a dit le bonhomme qui m'avait accueilli, tu peux donner un bon coup de main dans

Avant la guerre, Théo et sa sœur profitant de la mer et du soleil.
Coll. Th. Bohrmann.

La voie ferrée qui allait de Castres à Lacaune (à 35 km à l'est) traversait une région boisée et escarpée, propice aux maquis. Dans cette région protestante, Vabre allait devenir un haut lieu de la résistance.
© Archives Départementales du Tarn.

11 Ligne de CASTRES à LACAUNE — Les Trois Viaducs

La 2e compagnie du CFL 10 (Corps franc de la Libération), le 14 juillet 1944, défile dans Vabres. Les maquisards sont en uniformes et coiffés du béret des chasseurs alpins.

© Amicale des Maquis de Vabre.

l'intendance. » Je me suis donc mis au travail avec le tailleur qui fabriquait les uniformes. Il faut savoir que les 480 hommes du maquis de Vabre étaient tous équipés d'uniformes kaki. L'intendance et les transmissions étaient en bleu marine. Le tailleur avait le tissu, il taillait les uniformes. Avec un chauffeur, Léonce Lacroix, on les distribuait ensuite dans la région, pour les faire coudre. À l'époque, comme la circulation était interdite, c'était donc un peu risqué de partir dans une voiture bourrée de tenues de combat. La preuve, le dimanche 13 août, quand des automitrailleuses allemandes nous sont tombées dessus.

Ce jour-là, il avait été décidé qu'on déménagerait le dépôt de matériel et de munitions situé à la sortie du bourg de Vabre, sur la route d'Albi. On avait fini de charger la camion-nette quand ont surgi trois blindés allemands qui ont tout de suite ouvert le feu au canon de 20 millimètres. Ils appartenaient à une colonne qui remontait vers le nord. Personne n'avait donné l'alerte. J'étais avec Lacroix, le chauffeur. C'était un des plus vieux du maquis et moi, un des plus jeunes. Une balle de mitrailleuse s'est logée, juste entre nous, dans le dossier de notre banquette. On a eu le temps d'abandonner nos vestes militaires et de sortir de la voiture qui était pleine de matériel et de se réfugier dans la cave de la maison où se trouvaient plusieurs des nôtres. Trois camarades, dont deux jeunes de 17 ans, sont arrivés au même moment. Deux allaient être tués, le troisième blessé.

Lacroix et moi, dans la maison qui commençait à brûler, on a décidé de sortir. On a

Théo à Vabre. A 15 ans, le jeune Strasbourgeois était l'un des plus jeunes de l'unité commandée par Guy de Rouville. Il était dans l'intendance, participait aux parachutages, taillait des uniformes. Sa connaissance de l'Allemand lui a été précieuse.
Coll. Th. Bohrmann.

Les « arma » de nos parachutages

Un des containers parachutés par les Alliés. Il contenait de l'armement léger et des explosifs. © Amicale des Maquis de Vabre.

levé les bras. Les Allemands ont cessé de tirer et sont venus, armes à la main. « Que faites-vous ici ? » Comme je parlais leur langue, l'entretien a été plus facile. « Nous étions dans le jardin. — Pourquoi parlez-vous allemand ? — Je suis de Strasbourg. — *Ach, ein Volksdeutscher.* D'où viennent ces parachutes et qui conduisait cette voiture ? — Nous étions en contrebas et nous n'avons rien vu. »

Lacroix s'est mis à rouler une cigarette. On nous a demandé ce qu'il y avait dans la maison. « Elle est fermée, ai-je répondu. Les habitants sont absents. » Je crois que nos interlocuteurs se sentaient un peu isolés. Ils n'étaient guère rassurés et voulaient en finir. Ils nous ont donc dit que « Fabre » était occupé par la *Wehrmacht* et que nous devions aller à la *Kommandantur* pour raconter notre histoire. La camionnette brûlait toujours. Ils sont remontés dans leurs engins et sont partis… sans une rafale d'adieu ! Tout le monde était en émoi, surtout les résistants qui étaient planqués dans la maison et qui ont eu la vie sauve. On a quand même oublié notre peur pour aller chercher une pompe à incendie pour éteindre le feu qui se propageait de la voiture à la maison.

Je participais aussi aux parachutages : j'allais ramasser le matériel et récupérer les parachutes qui nous servaient pour faire des doublures. J'ai aussi été utilisé comme agent de liaison pour porter du matériel (de l'équipement pour les faux papiers, une fois un revolver), des messages ou du ravitaillement. Je faisais aussi le service au téléphone. Parfois, on me confiait des tâches plus émoustillantes, comme l'interrogatoire de Hans, le SS déserteur revenu chez nous après une absence mystérieuse. Lui et son groupe étaient tombés dans une embuscade, le 5 août. Il avait alors disparu. Trois jours plus tard, un lieutenant m'a dit que Hans était de retour. Comme il ne parlait que l'allemand, on m'a chargé de l'interroger et d'essayer de savoir s'il avait pu nous trahir. Son histoire

Guy de Rouville
(à gauche), le chef
du secteur 10, son fils
Franck et son père
Henry.
© Amicale des Maquis de Vabre.

me parut assez vraisemblable, même s'il semblait y ajouter un trait un peu héroïque : il
aurait été capturé par des soldats allemands,
jeté dans une camionnette, se serait emparé
d'une grenade, l'aurait fait exploser après
avoir sauté du véhicule. Finalement, Hans ne
sera pas inquiété.

Vers le 20 septembre, j'ai été démobilisé
et je suis retourné à l'école, à Castres, comme
interne. Le maquis a continué à se battre, a
été incorporé à la 1re armée française sous le
nom de « 12e régiment de dragons ». Pour
ma part, en 1945, je suis allé à Paris avant de
rejoindre mes parents à Sarreguemines, en
1948 ; mon père y avait rejoint sa sœur pour
s'occuper d'une entreprise. Plus tard, j'ai fait
mon service militaire, de 1951 à 1952, dans
l'artillerie.

Aller au maquis, pour nous, c'était naturel. Vabre, c'était vraiment un village de résistants, antipétainistes. Les Allemands ne s'y
risquaient pas. C'était déjà la France libre.

Depuis la Libération, chaque année, les membres de l'association du maquis
de Vabre se réunissent pour déposer des gerbes. Une plaque à la sortie du
bourg rappelle l'endroit où sont tombés deux jeunes du village, âgés de 17 ans.
Coll. Th. Bohrmann.

Robert Suc et le 13 août 1944

Outre Théo Bohrmann, un autre membre du maquis de Vabre avait 15 ans en 1944. Robert Suc était un enfant du pays. Il était né dans cette terre « résistante et républicaine » ; reliée à Castres par un tortillard, c'était un lieu de refuge des camisards et le sanctuaire des persécutés.

Robert Suc, peu après la Libération. Également âgé de 15 ans, Robert servait d'agent de liaison. Sa famille hébergeait Guy de Rouville.

Coll. R. Suc.

« Je suis né le 30 septembre 1929. J'ai toujours vécu à Vabre. Mes parents s'étaient installés dans le bourg ; mon père, Paul, travaillait dans l'une des filatures de Vabre, celle qui était dirigée par Guy de Rouville.

Mon père, qui avait fait la guerre de 14-18, n'en parlait pas. Mais j'avais un oncle qui, chaque dimanche, refaisait la bataille de Verdun. Pour lui et les autres anciens combattants, la défaite de 1940 a été synonyme d'effondrement. C'était un vrai coup de massue.

Les Allemands, après l'occupation de la Zone libre, n'ont jamais occupé Vabre. Ils étaient stationnés à Castres, à 35 kilomètres. Ce qui fait qu'au bout de la petite ligne de chemin de fer, nous étions vraiment tranquilles. La Résistance s'est peu à peu organisée. Beaucoup de gens voulaient faire quelque chose mais personne n'avait de contacts et ceux qui en avaient se taisaient. Mon père a été mis dans le coup par Guy de Rouville, puis ma mère et moi. J'étais Scout, j'appartenais aux Éclaireurs unionistes.

À partir de 1943, j'ai servi d'agent de liaison ; je portais des courriers aux groupes qui étaient à l'abri dans la montagne. Je triais les chaussures en peau de phoque

La gare à la fin de la guerre. Le bourg, comme le montre ce cliché, est encastré dans les collines du Tarn. Des collines escarpées et boisées où les maquisards du CFL 10 trouvaient refuge. © Amicale des Maquis de Vabre.

que les Américains mettaient dans les containers d'armes qu'ils larguaient. Ma famille était vraiment impliquée parce que Guy de Rouville couchait chez nous. Notre maison avait deux entrées, l'une devant et l'autre derrière ; c'était pratique en cas de fuite. À la Libération, on a découvert, dans la chambre qu'il occupait, une boîte pleine de billets de 500 francs qui servaient à l'entretien des maquisards. Ils étaient alors démonétisés. On les a, pendant longtemps, distribués lors des commémorations.

Quand Vabre a été libéré, pour moi, la vie a repris son cours. J'étais trop jeune pour suivre les résistants qui s'étaient engagés dans la 1re armée française du général de Lattre. L'aventure avait pris fin. Rien d'héroïque, en ce qui me concerne, mais il y avait quand même un certain danger. Un de mes copains, Jeannot, un jeune réfractaire au STO, a été tué, le 13 août 1944. Le fameux dimanche où Théo a bien failli y passer ! Les Allemands étaient alors en fuite. J'allais au temple ; en passant devant le Café du Pont, il m'avait

Cette carte postale de Vabre montre le temple. La communauté protestante était alors très active. Aujourd'hui, à 5 km de Vabre, se trouve le musée protestant de La Ferrière où sont rappelés les activités du pasteur Cook et des membres de la communauté. © Archives Départementales du Tarn.

interpellé pour me demander des cigarettes. J'avais sur moi un paquet que je lui ai volontiers donné. Et puis je suis allé au temple. Vers la fin de l'office, on a entendu une fusillade. Les maquisards présents sont sortis en trombe, pendant que le pasteur Cook terminait le culte, imperturbable. À la sortie, on m'a annoncé la mort de Jeannot, surpris par des retardataires allemands. Plus tard, j'ai appris qu'un stade portait son nom, à Cadalen. Mais personne sur place ne savait qui était ce résistant mort à Vabre. Je leur ai dit qui il était, comment il était mort... Une attention distraite, quelques sourires polis m'indiquèrent très vite que le sujet ne passionnait pas et qu'il fallait passer aux choses sérieuses : la troisième mi-temps. »

De nombreux jeunes réfractaires et des étudiants ont rejoint les maquis du Tarn. Ils ont vécu en pleine nature pour échapper aux Allemands avant de passer à l'offensive pour libérer le Tarn et la ville de Castres. © Amicale des Maquis de Vabre.

Le maquis de Vabre (Tarn)

Le maquis de Vabre a été rattaché à l'Armée secrète du 1er décembre 1943 au 23 août 1944 sous le nom de « maquis Pol-Roux » (du nom de guerre de son chef Guy de Rouville). Il regroupait 467 hommes, intégrés dans trois compagnies d'infanterie. Deux cent quarante de ces combattants, dont 26 officiers et 32 sous-officiers se sont engagés, à l'automne 1944, « pour la durée de la guerre » et ont rejoint la 1re armée où ils ont constitué le 12e régiment de dragons de reconnaissance sous les ordres du colonel Dunoyer de Ségonzac.

Nom de code « Pol Roux », le capitaine de Rouville commandait le CFL 10. Il avait plus de 460 hommes sous ses ordres.
© Amicale des Maquis de Vabre.

Ce maquis est né sur place, dans la profonde vallée du Gijou, au sein d'une population montagnarde, aux deux tiers protestante, qui, depuis des siècles, avait accueilli les victimes des persécutions politiques et religieuses. La débâcle de 1939 avait vu arriver les premiers évacués des frontières de l'Est, des réfugiés juifs (78 ont été dénombrés). Ils furent rejoints par des jeunes qui refusaient le STO (le Service du travail obligatoire), des policiers de Toulouse ulcérés par les missions qu'on leur confiait...

Dès 1940, le délégué cantonal à la jeunesse, Guy de Rouville, par ailleurs responsable régional des Éclaireurs unionistes de France, avait décidé de prendre en mains la jeunesse locale et de lui insuffler le sens de l'honneur et du civisme, la foi de la patrie, le respect du courage et de l'honneur. C'est parmi ces jeunes que va se constituer le premier noyau de résistance. En mars 1943, cinq Routiers (des Scouts aînés) prirent le maquis et gagnèrent une ferme de montagne. Dans ce premier maquis d'attente du Tarn, ils ne restèrent pas inactifs : « sport, entraînement physique, travail du bois, aide aux paysans et instruction militaire de base » vont se succéder. Guy de Rouville venait d'être nommé responsable du secteur 10 de combat, un secteur qui englobait cinq cantons de montagne. Peu à peu, les effectifs du maquis d'attente vont s'étoffer. Des réfractaires, puis huit chefs Éclaireurs israélites, tous gradés de l'armée, vont rejoindre les

premiers résistants. Le sanctuaire de Vabre va même abriter le délégué militaire régional (le DMR) de la 4e région et son PC. Dans l'attente du Débarquement, le maquis s'est peu à peu organisé. Guy de Rouville et ses amis gèrent le ravitaillement, les liaisons téléphoniques, la sécurité du PC du DMR. Ils tentent de percevoir des armes qui leur font défaut. Le 6 juin, tombe l'annonce du Débarquement allié en Normandie. Soixante-douze volontaires arrivent immédiatement ; ils sont rejoints par des réfractaires, des lycéens, des cadres de l'armée démobilisés en 1940, une cinquantaine de policiers toulousains... Vabre devient préfecture de maquis ! Les parachutages d'armes se multiplient. Sabotages, embuscades, patrouilles, assistance aux quinze commandos américains parachutés le 6 août : les maquisards de Vabre entrent en guerre. Vingt-cinq trouveront la mort. Officiellement, Vabre sera libéré le 31 août.

La Victoire à Vabre.
Alors que les unités du CFL 10 défilent en tenue impeccable, des prisonniers allemands jouent les serveurs lors du banquet.
© Amicale des Maquis de Vabre.

Le maquis en chiffres

Sur les 467 résistants enregistrés par les chefs du maquis de Vabre (62 avant le 6 juin et 405 après cette date), 205 étaient alors considérés comme des mineurs (puisqu'ils n'avaient pas 21 ans). Vingt-deux avaient 18 ans, onze 17 ans, deux 16 ans. Théo et Robert avaient 15 ans.

Vabre aujourd'hui.
La petite ville est nichée dans sa vallée désormais paisible. À la sortie nord de la ville, une stèle rappelle l'incident du dimanche 13 août.
Photo B. Chapleau.

Pierre Lebret
Traction avant et fusil-mitrailleur

Pierre Lebret a été décoré de la Croix de guerre avec étoile de bronze. Cité à 16 ans et 2 mois, il appartient à la Centurie des plus jeunes Croix de guerre de France. Après la guerre, qu'il a faite dans un maquis des Deux-Sèvres, il est devenu vétérinaire. Aujourd'hui retraité, il vit à Châteaubriant, en Loire-Atlantique.

Je suis né le 24 mai 1928, à Saint-Nazaire, et j'y ai vécu jusqu'au moment des bombardements de 1942. Mon père, qui avait fait la guerre de 14-18, était dans la marine marchande. Au début de la guerre, il avait été rappelé dans les services de déminage de l'estuaire de la Loire. Au moment de la débâcle, l'amirauté lui a donné l'ordre de gagner La Pallice, puis Bordeaux. Il se trouvait à Alger, en novembre 1942, au moment du Débarquement américain ; ensuite, son bateau s'est mis à faire du transport de troupes et de munitions pour les alliés. Il est allé en Sicile, en Italie, et il a fait le Débarquement de Provence. On ne l'a pas vu pendant deux ans et sept mois. J'ai donc surtout été élevé par ma mère.

À Saint-Nazaire, on a d'abord connu les bombardements des Allemands. Ils visaient le cuirassé *Jean-Bart*, qui était en phase finale de construction. Quand les Allemands sont arrivés, ma mère, ma sœur et moi, nous étions de l'autre côté de l'estuaire. On avait trouvé refuge dans un petit hôtel. Les premiers Allemands que j'ai vus, c'était une section d'une trentaine d'hommes qui campaient dans un bois. Après l'armistice, on est rentrés à Saint-Nazaire. J'ai repris la route du

Après la guerre, en compagnie de sa femme.
Coll. P. Lebret.

Page de gauche :
Pierre Lebret à la Libération. Il tient un fusil-mitrailleur français de type 24-29. Au bras gauche, l'indispensable brassard FFI.
Coll. P. Lebret.

LE COURRIER DE L'AIR

APPORTE PAR LA R.A.F.   LONDRES, LE 2 MARS 1944

Attaques à deux branches au cœur de l'Allemagne

LES FORCES AÉRIENNES ALLIÉES VIENNENT DE FAIRE UN GRAND PAS VERS LA RÉALISATION DE LEUR PLAN STRATÉGIQUE.

Le Roi et la Reine s'entretiennent avec les habitants d'une rue de Londres éprouvée par un bombardement

Conditions russes à la Finlande

EN UNE SEMAINE

Nouvelles victoires alliées en Extrême-Orient

AVIS

Pierre Lebret a conservé des tracts lancés par l'aviation allemande.
Le Courrier de l'air, en particulier, donnait des nouvelles du front. Ce numéro de mars 1944 faisait le point sur les bombardements stratégiques récemment effectués contre l'Allemagne.
Coll. P. Lebret.

"Les représailles exercées contre les groupes de résistance constituent une violation flagrante des lois de guerre."

GENERAL EISENHOWER

suivre mes études en sécurité et plus au calme, ma mère a alors décidé de m'envoyer à Parthenay, dans les Deux-Sèvres, chez mon grand-père et ma tante. Elle était professeur de piano et célibataire. Elle s'occupait de mon grand-père. À la rentrée de septembre 1942, je me suis retrouvé à Parthenay. J'avais 14 ans.

Vers la Résistance

Mon engagement dans la Résistance a été motivé par plusieurs facteurs. La débâcle de l'armée française, d'abord, qui a provoqué un traumatisme profond chez beaucoup de jeunes Français. L'ambiance anti-occupant qui régnait dans ma famille et dans la ville de Saint-Nazaire, et cela en dépit du bombardement, par les Anglais, de la flotte française à Mers-el-Kébir, le 3 juillet 1940. Les vexations subies par la population civile, malgré les efforts de certains Allemands pour se montrer courtois. Le spectacle, enfin, durant l'été 1941, du retour d'un sous-marin allemand et de son accueil triomphal : fanfare, gerbes de fleurs. Tout ça me glaçait le cœur ; je pensais aux marins des bateaux coulés par ce *U-Boat* et à mon père qui devait naviguer quelque part sur les côtes d'Afrique.

À Parthenay, je me suis vite intégré dans ma nouvelle classe. J'ai fait partie, tout de suite, d'un petit groupe qui s'entendait bien. D'abord, on jouait à la guerre. Puis, ce qui se passait autour de nous a pris le dessus. On

lycée Saint-Louis. Mais il avait été réquisitionné par les Allemands qui trouvaient commode de loger des troupes dans une enceinte fermée, avec de grandes salles… Nous, on se baladait en ville. On avait cours dans des maisons. On passait de l'une à l'autre, selon les cours. Pour le travail, ça n'était pas l'idéal. On était très distraits.

Puis les Alliés se sont mis à bombarder la ville. Une bombe de 500 kilos est tombée à 100 mètres de chez nous ; elle avait coupé en deux un immeuble de trois étages. C'était spectaculaire ! Pour que je puisse pours'est mis à récupérer les tracts que les Anglais lâchaient au-dessus de la France. On les ramassait dans les champs et on les distribuait dans les boîtes aux lettres de Parthenay. C'était un petit jeu qui aurait pu nous coûter cher parce que les Allemands ne rigolaient pas avec ce genre de plaisanterie. Mais, bon, on était jeunes…

On s'est mis à chercher une filière pour entrer dans la résistance armée. Notre jeune âge faisait qu'on ne nous prenait pas au sérieux. Et puis, les mouvements étaient bien cloisonnés. Le pire, c'est que l'Armée secrète avait été démantelée dans la région, en septembre 1942, suite à la trahison de son chef régional qui avait livré les noms de 650 résistants. Dans un village nommé Lageon, à 10 kilomètres de Parthenay, neuf hommes furent capturés, lors d'une rafle, par les Allemands. Leurs noms sont sur le monument aux morts.

On s'est alors dit qu'on pouvait nous-même constituer un groupe de résistants. Mais il fallait des armes. Un de nos copains possédait bien un pistolet, mais c'était un 6,35, un truc de femme ! Un autre, Guy Giraudeau, s'est mis en contact avec un de ses cousins à La Ferté-Saint-Aubin, dans le Loiret. Il a pu récupérer une mitraillette *Sten*, deux chargeurs et une cinquantaine de cartouches. Il a rapporté tout cet arsenal par le train… Un exploit, un peu inconscient, parce que les fouilles étaient fréquentes, surtout à Poitiers !

L'essai de la mitraillette a failli se finir très mal. Une balle tirée accidentellement par celui qui manipulait l'arme m'a manqué de peu. En fait, elle a éraflé une de mes leggings en cuir. En outre, on manquait de munitions. On a négocié d'autres cartouches contre deux bouteilles d'apéritif que j'avais dérobées à mon grand-père qui tenait un café. Les cartouches sont venues par la poste. Par précaution, je les avais fait envoyer à un faux nom : Pierre Bitume, 9 rue Bombarde. Bien sûr, le

PROCLAMATION

CITOYENS FRANÇAIS:

Le jour de la délivrance se lève. Vos frères d'armes sont maintenant sur le sol français.

Je suis fier d'avoir sous mon commandement les vaillants soldats de France, qui se sont préparés si longtemps dans l'attente de ce jour où ils participent à la libération de la Patrie. Nous arrivons tous unis pour mettre fin sur le champ de bataille à la guerre que vous avez menée si héroïquement à travers les années de farouche résistance. Nous détruirons la tyrannie nazie dans ses racines et ses rameaux, afin que les peuples d'Europe renaissent dans la liberté.

En ma qualité de Commandant Suprême des Forces Expéditionnaires Alliées, j'ai le devoir et la responsabilité de prendre toutes mesures essentielles à la conduite de la guerre. Je vous demande d'obéir aux ordres que je serai appelé à promulguer.

Sauf instructions contraires, il faut que chacun continue à remplir sa tâche. Ceux qui ont fait cause commune avec l'ennemi, trahissant ainsi leur pays, seront révoqués.

C'est au Peuple Français qu'il appartiendra d'établir sa propre administration civile et d'assurer la sécurité des troupes par le maintien de la loi et de l'ordre public. Les membres de la Mission

Une proclamation du général Eisenhower, le commandant en chef des forces alliées, invitant la population française à obéir aux ordres du commandement allié. Ce tract a été lancé en juin 1944 et récupéré par Pierre. Coll. P. Lebret.

Mitraillette Sten.
© Centre d'Études et Musée Edmond-Michelet, ville de Brive-la-Gaillarde.

Les résistants de la région de Parthenay. Pierre Lebret et le premier à droite. Il est armé d'un fusil-mitrailleur anglais de type Bren (reconnaissable à son chargeur recourbé). Coll. P. Lebret.

colis n'avait pas été distribué. Il fallait aller le chercher. J'y suis allé un après-midi, avec deux copains qui faisaient le guet. Le postier m'a remis une caissette en bois dans laquelle on entendait les balles qui roulaient, tellement elles étaient mal emballées. On s'est sauvés bien vite et on a planqué les cartouches, chez un copain, à une quinzaine de kilomètres de Parthenay. Mais, pendant huit jours, j'ai mal dormi tellement j'avais peur.

En fait, on avait des tas de misères pour avoir des armes. Il y avait bien eu, au cours de l'été 1942, un parachutage d'armes sur la commune de Viennay, à 5 kilomètres de Parthenay. Les armes avaient été récupérées par la Résistance mais tellement bien cachées dans des bois que, lorsque le réseau a été démantelé, personne n'a pu les retrouver.

Finalement, à force d'essayer et grâce à des copains plus âgés, on est finalement entrés dans le circuit. On a réussi à s'affilier aux Francs-Tireurs et Partisans de l'arrondissement de Parthenay, alors qu'il n'y avait pas un communiste parmi nous. Pour avoir des armes, on a dû faire profil bas et en passer par là. En septembre, on a vu débarquer trois types un peu plus âgés que nous – dans les 20-25 ans – et qui, eux, étaient communistes.

C'est à ce moment-là qu'il nous a été attribué un gros pistolet d'ordonnance de calibre 12,5 – mais les munitions ne correspondaient pas ! –, une dizaine de fusils *Springfield* et deux fusils-mitrailleurs *Bren*, et six ou huit chargeurs très abîmés qu'il a fallu que je répare. Heureusement que j'étais un peu bricoleur ! J'ai passé deux jours à les remettre en état, dans une ferme isolée en bordure de la plaine de Poitiers, avec pour seul outillage un gros marteau, un démonte-pneu et un étau.

On avait formé une section : la 2e section de la 2e compagnie du 1er bataillon de Parthenay. J'ai fait part à l'un des cousins de mon père, pharmacien à Secondigny, de mon appartenance aux FFI. Une confidence en entraînant une autre, il m'a avoué en faire partie aussi. Très bricoleur, il avait fabriqué un poste de radio à galène pour écouter la BBC. Il pourra ainsi prévenir le groupe FFI de L'Absie de l'imminence d'un important parachutage d'armes, près de la forêt de Vernoux. Suite au message « Pour Harold, trois amis viendront ce soir ; le bocage est en feu, nous disons trois fois », des bombardiers *Lancaster* largueront, le soir même, armes et munitions.

Au combat

Au printemps 1944, tout s'accélère pour nous. Début juin, Michel Henrion, envoyé par mon chef de section, m'apporte l'ordre de gagner immédiatement notre PC au château de Maurivet, sur la commune d'Oroux, au nord-est de Parthenay. Je prends mon paquetage qui était déjà prêt, roule mon brassard FFI et le cache à l'intérieur de mon guidon de vélo et je pars. J'accompagne Michel qui doit passer chez lui. En route, nous croisons un *Feldgendarme* autrichien, nazi convaincu. Il examine mon paquetage. Mais il nous laisse filer. Arrivés à Maurivet, nous

Pierre et l'un de ses cousins peu après la Libération.
Le jeune résistant finira la guerre avec la Croix de guerre ; il reprendra ensuite le chemin du lycée avant de devenir vétérinaire.
Coll. P. Lebret.

Pierre Lebret est visible sur cette photo de 1944 : il est le deuxième du rang immédiatement après les soldats africains. Il porte son calot.
Coll. P. Lebret.

constatons que nous ne sommes que trois. Et il nous faut déménager en urgence toutes les armes et munitions pour les cacher dans un petit bois à Lhoumois ! En effet, une forte patrouille allemande vient d'interpeller trois des gars de notre section. Arrêtés près du château, ils seront déportés et deux ne reviendront pas. Le bois de Lhoumois s'avérant une cachette trop précaire, nous déménageons pour gagner un refuge plus sûr sur la commune de Pressigny.

Le Débarquement ayant eu lieu, notre mission est de ralentir les convois allemands qui remontent précipitamment vers le nordouest. À part trois paras, un Anglais et deux Français, qui coordonnent nos actions et qui seront les seuls soldats alliés qu'on verra, on

doit se débrouiller tout seuls. Plusieurs convois allemands sont attaqués avec succès. Le frère d'un membre de notre section se distingue lors de ces opérations. Il recevra plus tard la Croix de guerre. Heureusement, car l'année précédente, il avait été décoré de la Croix de fer, alors qu'il servait dans la *Waffen SS* sur le front russe. Sans sa désertion et son courage, il aurait peut-être été fusillé à la Libération.

Le 3 août 1944, je participe à une opération à Saint-Martin-du-Fouilloux, pour réquisitionner une traction avant, une Citroën 11 CV. Nous sommes huit et devons y aller avant le lever du soleil, mais un orage très violent nous retarde de deux heures. Nous arrivons à sept heures du matin ; il fait grand jour. Dans le dernier virage avant le bourg, nous tombons nez à nez avec un cycliste allemand, le *Mauser* en bandoulière. Cadet, le conducteur de notre voiture, crie : « Préparez-vous à tirer, les gars. » Jules Vanscoor, coincé entre Cadet et moi, tire un coup avec son *Springsfield*. Raté ! Le cycliste se jette dans le fossé et donne l'alarme. Nous sommes huit et on vient de tomber sur deux cents soldats qui viennent d'arriver. Ils viennent de réquisitionner la voiture qu'on comptait piquer ! Sur notre gauche, sept ou huit Allemands épaulent leurs armes, comme pour une exécution. Je tire le premier. Une courte rafale, avec mon fusil-mitrailleur *Bren*. Ils s'écroulent tous… Les autres courent dans tous les sens et se jettent dans le fossé. Notre deuxième fusil-mitrailleur s'enraye. J'arrose les Allemands à coups de courtes rafales pour les empêcher de riposter. J'ai à peine le temps de vider un chargeur et d'en mettre un deuxième que nous quittons le bourg si vite que l'une des portières s'ouvre et que nous manquons de perdre Olive, une recrue récente. Un des gars a le réflexe de le rattraper par le bras et de fermer la portière.

Nous avons eu très chaud. Et ça aurait pu être pire ! À un carrefour, près de la place du marché, nous prenons à gauche. Tout droit, nous serions tombés sur un convoi allemand qui arrivait !

Les Allemands ont perdu une dizaine d'hommes dans l'affaire. Pour cette action, je serai cité à l'ordre du Régiment et décoré de la Croix de guerre avec étoile de bronze.

En octobre, je suis démobilisé. Juste avant, je participe à l'arrestation d'un Allemand surnommé « Schnell ». Cet agent de la Gestapo est planqué chez l'une de ses maîtresses ; il est réputé dangereux car il a déjà tué un maquisard lors d'une précédente tentative d'arrestation. Je suis en appui-feu avec mon fameux *Bren*. Finalement, il se rend sans faire d'histoire. Il sera jugé et fusillé en juillet 1945.

Pour moi, la guerre se termine. Des gars de ma section vont prendre part au nettoyage des poches de l'Atlantique où les Allemands résisteront jusqu'en mai 1945. Moi, je retourne à l'école ; j'ai un bachot à décrocher – je réussirai même à obtenir une mention !

Quelques mois de cette vie que je viens de décrire vous mûrissent un gars de 16 ans mieux que les films de science-fiction ou les images virtuelles qu'on fait ingurgiter quotidiennement aux jeunes d'aujourd'hui. Le petit fait d'armes auquel j'ai participé à Saint-Martin-du-Fouilloux m'a souvent servi de ressort dans les circonstances de la vie où le doute s'installait, quand, pour franchir l'obstacle, il fallait la *furia francese*.

Pierre Lebret à Châteaubriant en 2007. Il appartient à la Centurie des plus jeunes Croix de guerre de France.
Coll. P. Lebret.

Saint-Brieuc

Louis Masserot
De l'École normale au SAS

Louis Masserot voulait devenir enseignant. Il a réussi et a fait sa carrière dans l'Éducation nationale. La guerre de 1939-1945 a, malgré tout, ouvert une parenthèse dans le fil de son existence. Résistant à Saint-Brieuc, il a rejoint les fameux parachutistes du SAS, le Special Air Service *créé par David Stirling. C'est dans les rangs du 2e régiment de chasseurs parachutistes qu'il a combattu en Hollande en 1945.*

Je suis né le 22 juin 1924, à Maisons-Laffitte, d'une famille de cheminots. Des Bretons en exil ! C'est là que j'ai fait mes études jusqu'au brevet puis je suis entré à l'École normale, en 1941, à Saint-Brieuc.

Au début de la guerre, je préparais l'École de maistrance mais les Allemands sont arrivés avant moi à Brest. Je me suis rabattu sur l'École normale et je ne le regrette pas. À Saint-Brieuc, l'École normale avait été fermée sur ordre de Pétain puisque c'était un « foyer de propagande laïque ». Les élèves ont été mis au lycée Le Braz et il a fallu se débrouiller pour trouver un hébergement en ville.

C'est là qu'ont commencé les premières actions de résistance. Pour les gamins que nous étions, ça n'allait pas très loin : arracher les pancartes allemandes, gribouiller tout ce qu'on pouvait, distribuer des tracts dans les boîtes à lettres du quartier… À l'école, en parlant avec les copains, on arrivait vite à deviner qui avait l'âme d'un résistant. Pour les normaliens, c'était général. Petit à petit, les actions se sont multipliées. On a saccagé une librairie du Parti populaire français de Doriot.

Mon père avait fait la guerre de 14-18. Lui savait ce que c'était la lutte contre les Allemands ; de plus, les gars comme lui connaissaient Pétain et savaient ce qu'il avait fait dans certains régiments. En revanche, on n'avait pas entendu De Gaulle. On a

Page de gauche :
Louis Masserot avant la guerre. Dès 1941, l'étudiant du lycée de Saint-Brieuc a pris part à des actes de résistance. Lui aussi était Éclaireur et son clan était très actif dans la lutte contre l'occupant. Coll. L. Masserot.

Un faux laissez-passer au nom de Louis-Henri Thomas. Le jeune résistant avait gardé son prénom.
Coll. L. Masserot.

Après la libération de Saint-Brieuc, le jeune Louis a rejoint le
2e régiment de chasseurs parachutistes, héritier des SAS français.
Sur cette photo, il est armé d'une carabine américaine US M1.
Coll. L. Masserot.

Une faux certificat de travail, indispensable pour tromper la vigilance
de l'ennemi.
Coll. L. Masserot.

quand même su assez vite qu'en Angleterre
il y avait des Français qui se battaient. On
savait aussi qu'il y avait des gars qui rejoignaient Londres, comme ceux de l'École
d'hydrographie de Paimpol partis dès 1940.
Ou comme les normaliens de Saint-Brieuc
qui avaient suivi des cours de pilotage et
avaient réussi à s'engager dans la RAF, la
Royal Air Force.

Je suis entré en contact avec des gens plus
organisés, dont des professeurs du lycée ;
j'ai rejoint le mouvement qui s'appelait
« Défense de la France ». À Saint-Brieuc,
c'était le commandant Métairie qui dirigeait
le mouvement. C'était un commerçant en
vins ; son adjoint s'appelait l'abbé Fleury.
Ils ont tous les deux été arrêtés et exécutés
en juin 1944.

À partir de ce moment-là, il a fallu commencer à faire davantage de renseignement,
repérer les endroits où les Allemands
cachaient du matériel. Je me rappelle d'un
plan de la tour de Cesson, à Saint-Brieuc,

pour indiquer l'emplacement des nids de mitrailleuses. On effectuait aussi des liaisons. On n'avait aucune connaissance militaire. J'ai tout appris sur le tas. Mais ça va vite !

En 1943, il y a eu une grande rafle au lycée de Saint-Brieuc. Une vingtaine de camarades a été arrêtée. Trois ont été fusillés et les autres déportés. C'était un coup dur. J'ai eu de la chance car je ne faisais pas partie de la même équipe. Heureusement que c'était cloisonné… Je me suis occupé du ravitaillement des camarades emprisonnés avec des faux papiers de la Croix-Rouge. On avait fait des collectes parmi les élèves pour ramasser des conserves, des biscuits… Il a fallu aussi commencer à préparer les maquis. J'ai aussi, à cette époque, convoyé deux pilotes anglais. Je les ai pris en charge à la gare de Saint-Brieuc pour les emmener jusqu'à Guingamp et, de là, ils ont rejoint la côte.

Le 6 juin 1944, j'ai rejoint mon poste dans le sud du département, à l'abbaye de Lanténac. Notre groupe a été versé dans ce qui s'appelait le « BOA », le Bureau des opérations aériennes. On était une quinzaine, tous de Saint-Brieuc. Il y avait une grosse partie du clan des Éclaireurs de France dont je faisais partie. J'étais Éclaireur depuis 1941. J'étais sous-chef de clan à l'époque. Nos expériences de camping nous ont servi pour savoir construire un abri, nous nourrir, savoir lire une carte…

Là, on a participé aux parachutages. C'est là qu'on a pris contact avec les premiers parachutistes de la France libre qui avaient sauté en Bretagne la veille du Débarquement. Ils appartenaient à une brigade de l'armée britannique qui s'appelait le « *Special Air Service* », le SAS. Le premier tué du Débarquement était l'un des leurs : le

Des paras du 2e RCP. Louis est tête nue à l'arrière du véhicule. La photo date de septembre 1944 quand les paras de la France libre ont été déployés sur la Loire. Coll. L. Masserot.

Louis (debout à gauche) et des camarades du 2e RCP. Coll. L. Masserot.

caporal Émile Bouëtard. On l'appelait « Le Vieux » parce qu'il avait 29 ans ! J'ai servi de guide à plusieurs équipes SAS.

Le 3 juillet, nous avons dû quitter l'abbaye de Lanténac parce que les Allemands nous

avaient repérés. Et nous sommes allés nous installer en forêt de Loudéac. Là, se trouvait le PC du BOA. Le 4 juillet, plusieurs centaines de soldats allemands nous ont attaqués. On a eu huit tués. On s'en est sortis comme

MOUVEMENT LIBÉRATION NATIONALE

Matricule : 15-1-01.00153
Nom : Masserot
Prénoms : Louis

MLN

Profession : Élève Maître
Né le 22.6.1924, à Maisons Laffite
Domicile : Lycée
à Saint Brieuc Canton St Brieuc
Département Côtes-du-Nord

JEUNES LIBÉRATION NATIONALE
PHOTO
St-BRIEUC

Le caporal Émile Bouëtard. Ce SAS français, d'origine bretonne, a été le premier tué du débarquement du 6 juin 1944. Il était surnommé « le vieux » : il avait 29 ans ! © Musée de la Résistance Bretonne de Saint-Marcel.

on a pu. On n'était pas très bien armés, nous autres du BOA. On s'est repliés près de Merdrignac. Je me souviens d'une petite jeune fille de 14-15 ans qui, tous les matins, nous apportait un pot de lait ou des pommes de terre. Elle risquait sa vie. Des jeunes comme elle, il y en a eu beaucoup qui nous ont aidés.

Là, on a repris nos opérations, avec les parachutistes, notamment des attaques de convois allemands qui faisaient mouvement vers la Normandie. Je me rappelle avoir stoppé un convoi de parachutistes allemands de la division *Kreta*. On était douze, sous les ordres d'un parachutiste qui avait une balle dans le coude, si bien qu'il ne pouvait se servir que de son bras droit. J'ai eu la chance, comme je ne tirais pas trop mal, d'abattre le chauffeur et l'officier du premier camion. Le para a abattu l'Allemand qui servait le fusil-mitrailleur sur le haut de la cabine. Ce jour-là, on en a tué vingt-six... Un paysan a compté les corps alignés après la bataille. Le convoi est reparti difficilement et, une demi-heure plus tard, il a été arrêté par le maquis de La Hunaudais, entre Plancouët et Lamballe. Et ça a recommencé ! Une poignée de soldats de ce convoi a pu rejoindre la Normandie.

Le 3 août, j'ai participé à la libération de Loudéac. C'est à ce moment-là que j'ai signé mon engagement dans les parachutistes SAS, pour la durée de la guerre, plus trois mois. Ça me semblait naturel. Le bataillon qui avait sauté en Bretagne avait perdu, tués ou blessés, la moitié de ses effectifs. Pour compléter leurs rangs, ils ont engagé des maquisards connus et qui avaient fait leurs preuves. J'ai donc rejoint le 2e RCP (régiment de chasseurs parachutistes), l'héritier du 4e bataillon de parachutistes SAS créé en Égypte, en 1941.

Dans les rangs de ceux qui osent

En septembre, on a été déployés sur la Loire pour couper la route aux forces allemandes qui remontaient vers l'est. Parmi elles se trouvait la fameuse division *Das Reich*.

Peu après, on nous a expédiés faire notre apprentissage de parachutistes en Angleterre. Passer le brevet, s'entraîner... On nous faisait faire des trucs assez extraordinaires. On a commencé par le stage para, du côté de Manchester. L'entraînement au sol a eu lieu sur la côte est, dans le secteur d'Ipswitch. Nos anciens avaient surtout été entraînés en Écosse.

Début 1945, les SAS français ont pris part à une grande opération dans le nord des Pays-Bas. On a sauté, à sept cents, sur la frontière allemande. Là, ça a été dur. On a perdu un quart des nôtres, tués, mis hors de combat,

Résistant depuis 1941, Louis a fini la guerre dans les troupes aéroportées. Il a pris part à l'opération lancée début 1945 dans le nord des Pays-Bas. Un quart de 700 paras français a péri.
Coll. L. Masserot.

Une attestation officielle signée par Hélène Viannay, l'épouse du fondateur du mouvement Défense de la France. Elle atteste l'appartenance de Louis à ce réseau en 1944.
Coll. L. Masserot.

disparus… J'ai sauté avec trois camarades, au beau milieu de vingt mille Allemands. Le lendemain matin, on n'était plus que deux.

De retour en Angleterre, j'ai bénéficié d'une permission. À Saint-Brieuc, j'ai appris la fin de la guerre, le 8 mai 1945. Démobilisé à l'automne, j'ai repris la vie civile et je suis revenu à l'École normale, puisque je n'avais passé que la première partie du bac. J'ai fait un an de stage. J'étais entré à l'École pour trois ans ; finalement, j'en suis sorti au bout de six bonnes années, en 1947 ! J'ai ensuite enseigné à Belle-Isle-en-Terre, instituteur pendant neuf ans, avec mon épouse qui était directrice de l'école des filles, puis à Saint-Quay, au collège pour huit ans. Après, je me suis dirigé vers l'enfance inadaptée où j'ai fait tout le restant de ma carrière.

Ce sont des souvenirs dont on a du mal à se séparer. Il y a des tas de choses intéressantes à se rappeler. Les anciens parachutistes ont leur organisation : je suis secrétaire trésorier pour l'ouest de la France de l'Amicale des anciens parachutistes des SAS de Bretagne. On n'est plus que treize... Ce n'est plus une grosse association. Au plan national, l'Amicale a été dissoute en 2000. Nous, on a continué avec une petite amicale. Je fais aussi partie du bureau de l'ANAC, l'Association nationale des anciens combattants de Saint-Brieuc. J'ai aussi des liens avec les associations régimentaires des SAS ; j'ai même eu la chance de rencontrer, dans son château de Stirling, le fondateur des SAS, le colonel David Stirling.

Quand je regarde en arrière, je n'ai aucun regret. J'ai défendu la liberté, l'amour du pays ; j'ai lutté contre un régime odieux. J'ai appris à juger les puissants.

Je n'ai pas fait l'armée, après la guerre. Pas fou ! J'ai toujours été antimilitariste, comme mon père. Lui avait fait huit ans dans la « Coloniale », entre son service et la guerre de 14-18. Il avait fini deuxième classe. C'était un bon soldat mais un mauvais militaire. J'étais de la même veine. J'ai bien réussi à être deux fois caporal, mais, c'est tout. L'armée ne m'intéressait nullement. Quelques camarades y sont restés. Un de mes camarades normaliens, Claude, a même fini colonel. Je préférais enseigner ; c'est une autre façon de servir son pays.

Un jeune officier du 2ᵉ RCP en Hollande peu avant la fin de la guerre.
La dernière grande opération aéroportée alliée a failli tourner au désastre puisque les unités blindées chargées de faire la percée terrestre ont été stoppées par les Allemands. © Musée de la Résistance Bretonne de Saint-Marcel.

Louis Masserot en novembre 2007 à Saint-Marcel. Il vit désormais à Saint-Brieuc.
Photo Ph. Chapleau.

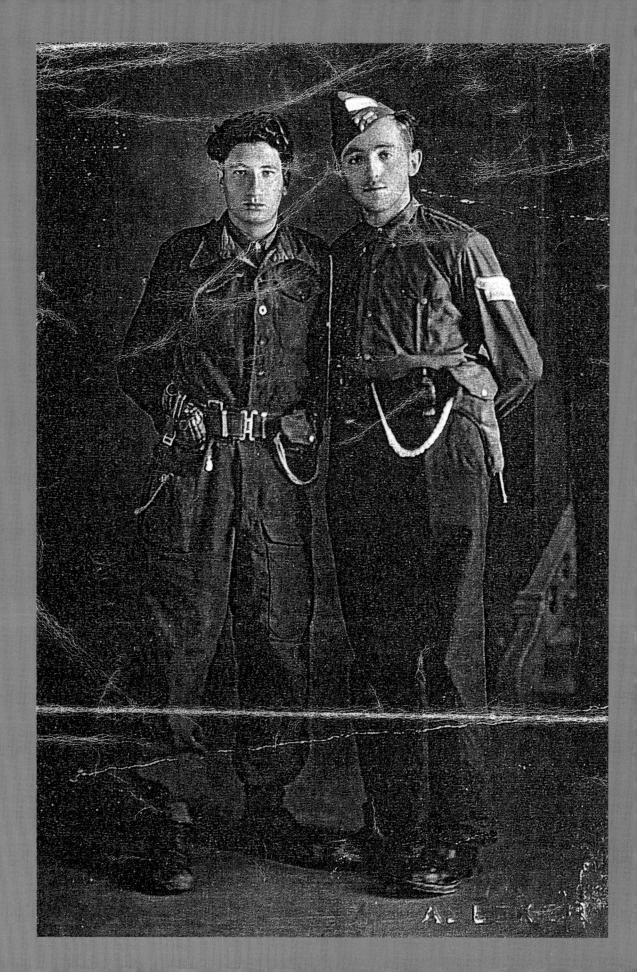

Saint-Caradec

Georges Ollitrault
Un irréductible
dans les Côtes-du-Nord

Farouche opposant à l'occupant, Georges Olli-trault a été arrêté quatre fois. Il s'est évadé à trois reprises. Bien que blessé trois fois, ce résistant de 15 ans n'a pas cessé de lutter entre 1941 et 1945. Depuis la Libération, il s'est attaché à retracer son itinéraire de résistant. Par souci d'exactitude, et non pas par vanité, il a localisé les archives, les a compulsées, pour établir son propre journal de mar-che et rédiger des carnets de route qui témoignent d'une volonté peu commune. Ses nombreuses déco-rations — Croix de guerre, Légion d'honneur, Médaille des évadés, Médaille de la Résistance avec rosette, Croix du combattant volontaire — attestent aussi de ses actions.

Je suis né à Merdrignac, le 3 juillet 1925. Mes parents habitaient en fait Loudéac. Mon grand-père était dans la Garde impériale, à Vitré, en Ille-et-Vilaine, jusqu'en 1894. Mon père, qui est né en 1891, venait de finir ses trois ans de service militaire quand la guerre a éclaté en 1914. Il s'est tapé quatre ans de plus. Blessé, gazé... Il est mort dans les années 1960 parce qu'il a fait attention à sa santé ; il ne buvait que du lait ; il faisait du cheval.

Nous avons été élevés dans le souvenir de la guerre de 14-18. Dans les écoles, nous appelions nos instituteurs « sergent » parce que, dès qu'ils avaient cinq minutes, ils nous racontaient leur guerre. J'ai été élevé dans le patriotisme. À l'époque, à 10-11 ans, on savait marcher au pas, faire le maniement d'armes avec des bâtons qui remplaçaient les fusils. J'étais tambour dans une clique et je mon-tais à cheval. À 13 ans, on pouvait monter en course. J'ai commencé en 1938. On m'a appris à gagner. Je pense que tout ça a contri-bué à me donner des réflexes.

Après le certificat d'études, en 1937, je suis allé à Saint-Brieuc, au lycée Anatole-Le Braz. J'y ai appris l'anglais et l'allemand ; ça m'a bien servi ! J'étais demi-pensionnaire ; j'habitais chez mon oncle, chirurgien en retraite. En 1939, quand la guerre a éclaté, j'étais toujours à Saint-Brieuc. Pendant l'hi-ver 1939-1940, c'était « rien à signaler ». Il a fallu attendre le 10 mai, le jour de la Sainte-Solange ; les Alle-mands ont attaqué. À Saint-Brieuc, ça a été l'afflux de réfugiés ; on les voyait arriver tous les soirs à la gare. Ils nous racontaient les mitraillages sur les routes. On voyait bien que c'était la catastrophe. Les Alle-mands sont arrivés le 17 juin à Saint-Brieuc. Quatre ou cinq jours plus tard, j'ai entendu parler d'un général qui, de Londres, avait lancé un appel. En septembre, au lycée, je me suis rendu compte qu'il y avait deux groupes : ceux qui étaient pour Pétain et nous qui étions dubitatifs et qui, parce que nous avions été élevés dans le patriotisme,

Page de gauche :
Georges Ollitrault (à droite) en compagnie de René Herpe, dit « le Piaf ». Georges est armé d'un pistolet Mauser volé à un officier allemand.
Coll. G. Ollitrault.

Le faux passeport de Georges. Sous le nom de Verner, Georges a tenté de passer en Espagne mais il a été arrêté et emprisonné à Compiègne.
Coll. G. Ollitrault.

Un des camarades de Georges Ollitrault en tenue de résistant. Il porte la fameuse mitraillette Sten dont quelque 200 000 exemplaires ont été fournis à la Résistance par les Alliés. Rustique, peu précise, pas toujours fiable, elle a quand même rendu de grands services.
Coll. G. Ollitrault.

pensions déjà à résister. En plus, mon père et ma mère avaient été arrêtés, à l'automne 1940. On les soupçonnait d'avoir permis à des soldats français de s'évader. J'allais les voir à la prison de Saint-Brieuc où ils ont passé trois mois avant d'être libérés. Mon père avait été battu ; ça aussi, ça contribue à l'esprit de lutte.

Au lycée, on a commencé à tracer des croix de Lorraine. On coupait les fils téléphoniques. En juin 1941, des lycéens ont manifesté contre l'occupant. On a aussitôt été fichés par la police française. Moi, j'avais déjà piqué un fusil, un *Mauser*. C'était à Loudéac : un groupe de soldats stationnait dans une prairie et j'ai aperçu un fusil qui traînait.

En passant, je l'ai poussé dans le caniveau. Dès qu'ils sont partis, je l'ai récupéré. En fait, il n'a jamais servi. Je l'ai caché et il est resté planqué jusqu'à la Libération, avec les cartouches que j'avais réussi à récupérer peu après. En effet, l'hôtel que tenaient mes parents était occupé par les Allemands. Mon père et ma mère logeaient dans une petite maison. Un jour, en février 1941, je suis entré dans les chambres et, dans chaque cartouchière, j'ai pris quelques cartouches. Les soldats s'en sont aperçus. Ils ont essayé d'inquiéter mes parents mais il n'y a pas eu de suites.

À partir de 1941, j'ai vite eu des contacts avec des gens qui allaient jouer un rôle dans la Résistance. Avec la guerre qui venait d'éclater en Russie, des militants communistes ont commencé à s'organiser. Le mari de la servante de mon oncle – il s'appelait Jean – m'a donné des informations pour faire des sabotages. J'ai commencé par faire sauter un dépôt de vivres et de munitions près de la gare, début juillet 1941. Le lendemain soir, j'ai fait sauter un autre dépôt. J'ai loupé le troisième sabotage, à la caserne des Ursulines. Jean m'a ensuite demandé de faire dérailler des trains sur la ligne Pontivy-Loudéac. Avec deux camarades, on a dévissé un rail. Pas de chance : du monde est arrivé et on a dû s'enfuir. Le lendemain, j'ai été arrêté pour sabotage par les gendarmes. J'ai été embarqué par la sécurité militaire allemande, la SD, et enfermé à Guingamp. Grâce à mon oncle, j'ai pu être libéré au bout de quelques semaines. J'ai voulu retourner au lycée mais ils ne voulaient plus me reprendre. J'ai donc pris des cours particuliers, surtout d'anglais et d'allemand ! Dès mars 1942, je me suis remis au travail. Je distribuais des tracts, je fauchais des armes de poings aux Allemands dans les restaurants et dans les cafés. Je vivais sous une fausse identité : je m'appelais Eugène Bourgault, parce que les Allemands s'étaient mis à mes trousses.

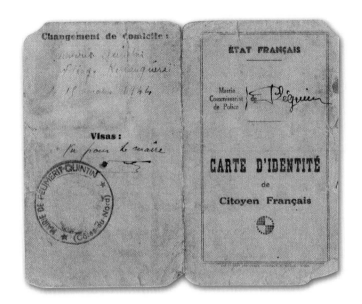

J'avais l'idée de partir pour Londres. En fait, depuis 1940, je voulais rejoindre la France libre. En août 1942, je venais d'avoir 17 ans, j'ai tenté de passer en Espagne. J'ai été arrêté à Castillon-la-Bataille, près de Libourne, là où les Allemands m'ont mis en prison. J'ai prétendu que je cherchais du boulot dans le vignoble. Au bout de huit jours, j'ai été relâché. Je suis revenu chez mon oncle, à Saint-Brieuc. J'ai retrouvé mes contacts. J'ai pu rencontrer un certain « Alain » (en fait Louis Pichouron, qui est devenu chef départemental des FFI) et une responsable communiste qui s'appelait Simone Bastien. J'ai alors rejoint les FTP. Je suis parti me mettre à l'abri sur Rennes. J'y suis resté jusqu'en avril 1943. J'habitais chez une gardienne de prison chez qui je stockais des armes volées à l'Arsenal de Rennes. En mai 1943, j'ai perdu tous mes contacts. Certains avaient été tués, d'autres en fuite. Avec deux camarades, Lemarchand et Pedrono, on a décidé de rejoindre de Gaulle. On est partis en train jusqu'à Toulouse, puis Foix. Là, on est partis à pied. On a franchi la frontière le 15 mai mais on est tombés sur une patrouille de la Garde civile. J'avais des papiers allemands qui m'identifiaient sous le nom de Verner. J'aurais pu passer mais je n'ai pas voulu abandonner mes deux camarades. Nous voilà pris et remis aux

Allemands qui nous ont transférés à la prison militaire de Toulouse, la prison Furgole. En juin, nous avons été transférés à Compiègne, dans un camp pitoyable, où j'ai retrouvé des résistants que je connaissais. Le 14 juillet, on a même chanté *La Marseillaise*. On a été punis, bien sûr. C'est ce qui m'a décidé à m'échapper. J'ai simulé l'appendicite. J'ai été opéré et transféré à l'hôpital général de Compiègne. Mon père, qui avait été prévenu, a pu venir me voir. Il m'a donné de l'argent, des papiers et un couteau. J'ai volé des vêtements et je suis parti vaille que vaille, parce que je souffrais pour de vrai cette fois. J'ai pris le train pour Paris puis pour Loudéac. Fin septembre, j'étais retapé. J'avais pu reprendre contact avec mon réseau. Et je me suis remis au travail. En octobre, j'ai volé trois fusils à l'Hôtel du Commerce de Loudéac. C'était le 10 octobre, selon les archives allemandes.

Le départ pour le maquis

En janvier 1944, j'ai rejoint le maquis en forêt de Beffou. On a commencé à saboter les voies ferrées, de façon à perturber le trafic. Fin février, j'ai été capturé à Saint-Caradec. Avec cinq autres, j'allais chercher des armes, quand la police de Vichy nous a pris en chasse et encerclés. J'ai pris une balle dans chaque main. Cette fois, j'ai simulé le tétanos.

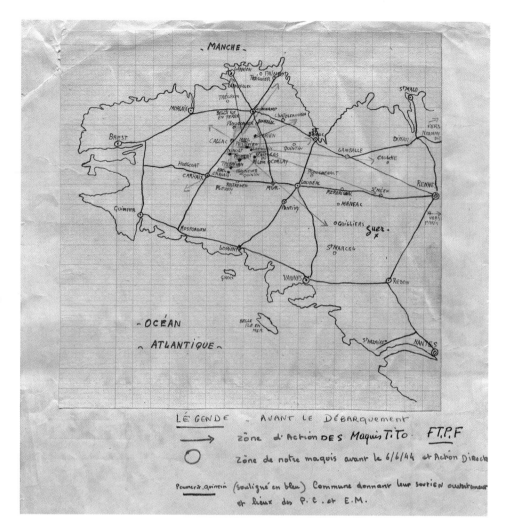

Carte de la zone d'action du maquis Tito. À partir de la région de Callac, les maquisards lançaient des raids audacieux.
Coll. G. Ollitrault.

En juin 1944, les résistants bretons ont été rejoints par des SAS commandés par le lieutenant Botella. Sur cette photo, deux paras français blessés utilisent des balais comme béquilles.
Coll. G. Ollitrault.

Heureusement que je connaissais l'allemand parce que, quand la SD est venue pour l'identification, l'un des Allemands a dit à l'autre : « Cet après-midi, on l'embarque. » J'avais peur d'être torturé et de donner des informations sur les maquis. J'avais donc intérêt à me sauver. Les policiers français, eux, ne savaient pas ce qui m'attendait ; au contraire, je leur ai fait croire que j'allais être libéré. Ils m'ont donc laissé me promener dans le couloir. J'ai endormi leur confiance et j'ai pu me sauver. J'ai ensuite rejoint mes camarades à Bourbriac puis à Maël-Pestivien, juste à temps pour le premier parachutage d'armes. Les armes ont aussitôt été distribuées sur tout le département. C'est l'époque où nous avons créé le maquis Tito à Peumerit-Quintin, une région presque libre. En attendant le Débar-

quement, nous avons poursuivi nos actions : interception de gendarmes collaborateurs, attaques de patrouilles allemandes, libération de résistants à Lannion, récupération de pilotes abattus... En mai, j'ai tué le lieutenant-colonel allemand qui commandait la place de Saint-Brieuc. Tous les jours, on lançait des opérations mais loin de nos bases.

Dans la nuit du 5 juin, on a entendu des avions. Au petit matin, des types armés nous ont interceptés. C'était des parachutistes alliés qui nous ont expliqué que le Débarquement commençait. Leur chef était le lieutenant Botella. Je lui ai dit de ne pas rester dans la forêt mais de rejoindre la zone de Maël-Pestivien où se trouvait le maquis Tito. Il avait des ordres : il devait s'implanter dans la zone de Duault. Les maquisards ont commencé à faire mouvement vers la forêt ; la nuit suivante, d'autres paras sont arrivés. Le 12 juin, malheureusement, la base de Duault a été attaquée par les Allemands. Le combat a duré toute la journée. En fin d'après-midi, les Allemands ont décroché. Mais la base de Duault était grillée. Il n'y a plus eu de parachutages sur la zone ; ils ont été détournés vers le Morbihan et le maquis de Saint-Marcel.

Notre maquis, lui, a continué ses actions. Il a été renforcé par l'arrivée de volontaires, une soixantaine. Un groupe de Saint-Brieuc nous a rejoints aussi. Le 2 juillet, on a reçu l'ordre d'attaquer une petite garnison allemande à Bourbriac. On n'a pas eu de chance. Des survols de l'aviation anglaise ont mis les Allemands en alerte. L'effet de surprise n'a pas joué et on a dû se replier. C'est l'époque où les Allemands ont commencé à comprendre comment nous combattre, en montant des embuscades, en ratissant la campagne... J'ai d'ailleurs bien failli me faire avoir.

Mi-juillet, avec une quarantaine de gars, j'ai formé un corps franc, le corps franc Marceau. J'en ai pris le commandement. On était chargés de la protection de l'état-major FFI. On a réceptionné des paras dont le colonel Passy, le patron du BCRA, qui m'a donné une mitraillette Thomson. À ce moment-là, a été donné l'ordre de soulèvement général. Le message était le suivant : « Le chapeau de Napoléon est-il toujours à Perros-Guirec ? » Les Américains arrivaient par Dinan. Le corps franc a eu l'ordre de se porter sur Saint-Brieuc. On a pris position près de l'aérodrome. On s'est battus près

L'arrestation de deux soldats allemands le long d'une voie ferrée.
C'est l'époque où Georges a pris le commandement d'un corps franc baptisé Marceau. L'ordre de soulèvement général n'allait pas tarder. Alors que les Américains progressaient vers la Bretagne, les maquis sont passés à l'attaque.
Coll. G. Ollitrault.

REPUBLIQUE FRANÇAISE — VILLE DE SAINT-BRIEUC

APPEL
à la Population de Saint-Brieuc

L'heure de notre libération a enfin sonné.

La date du **6 AOUT 1944** restera mémorable dans les annales de notre cité.

Grâce à l'effort **gigantesque de nos Alliés**, grâce à l'héroïque ténacité des **Français** qui, sous les ordres du **Général de GAULLE**, n'ont jamais abdiqué, grâce aussi aux Forces Françaises de l'Intérieur, ainsi qu'à l'esprit de résistance et de sacrifice d'une grande majorité de notre population, *nous sommes enfin délivrés du joug pesant d'un ennemi barbare dont le rêve de domination mondiale ne s'appuyait que sur la tyrannie et sur la terreur.*

Pendant ces longues années d'occupation, nous avons dû supporter **les plus grandes souffrances physiques et morales** ; beaucoup parmi les meilleurs ont été incarcérés et soumis à la torture, d'autres ont été déportés pour aller grossir en Allemagne le nombre déjà si grand de nos prisonniers ; un trop grand nombre hélas ont déjà trouvé une mort glorieuse sur les champs de bataille ou sous les balles de nos tortionnaires.

Nous saluons avec une émotion profonde tous ceux qui sont tombés pour la plus noble des causes et pour la défense du plus bel idéal : « *LA LIBERTÉ* ».

Conservons pieusement leur souvenir et autour de la mémoire de nos héros et de nos martyrs sachons réaliser *l'union totale et féconde de tous les vrais Français.*

Faisons taire nos petites querelles ; sans esprit de parti, rassemblons-nous pour un seul idéal et dans un seul but à la restauration d'une **FRANCE GRANDE, PROSPÈRE & LIBRE.**

Votre municipalité provisoire, qui a été désignée par l'ensemble des mouvements de résistance, n'aura d'autres soucis en dehors de l'administration et de l'approvisionnement de la Ville que de maintenir cette union des esprits et des cœurs.

Nous demandons a tous de nous aider dans notre lourde tâche et faisons un pressant appel à l'**ORDRE**, au **CALME**, à la **DIGNITÉ**, à la **DISCIPLINE.**

Certes quelques mauvais Français égarés par la propagande Nazie ou Vichyssoise, ou plus souvent guidés par un esprit de lucre *auront des comptes à rendre à la Nation.*

Qu'ils aient été collaborateurs actifs, agents plus ou moins masqués de l'infâme Gestapo, pourvoyeurs de main-d'œuvre pour l'ennemi ou trafiquants notoires ; tous seront poursuivis par les voies légales et rendront compte, devant la **Justice régulière**, de leurs méfaits.

Laissons celle-ci accomplir son œuvre d'épuration et ayons la certitude qu'elle saura découvrir et punir, comme il convient, les traîtres et les coupables.

Vous avez fait à nos premiers Libérateurs un accueil enthousiaste. Que tous les soldats français ou alliés qui stationneront dans notre ville soient assurés du même accueil chaleureux.

La guerre n'est, hélas, pas encore terminée et d'autres régions de la France attendent aussi leur libération. Notre Bretagne, qui aura eu le privilège d'être la première province entièrement libre et qui par une faveur providentielle aura pu échapper aux grandes destructions de son héroïque voisine **LA NORMANDIE**, se doit d'aider par tous ses moyens à chasser l'envahisseur hors la France.

Nous faisons un pressant appel à toute la population pour que tous les ordres, instructions et consignes, émanant des autorités militaires ou civiles, soient scrupuleusement respectés.

Haut les cœurs ! La Victoire définitive ne saurait tarder.
Sachons nous en montrer dignes.

Vive SAINT-BRIEUC   Vive la FRANCE
Vive la BRETAGNE   Vive les ALLIÉS

Pour la Municipalité provisoire :
Le Maire, **Charles ROYER.**

Ci-dessus :
Une affiche diffusée après la libération de Saint-Brieuc. La guerre, rappelle le texte, n'est pas terminée.
© Archives Départementales des Côtes d'Armor.

En haut à droite :
Peu après la libération de Saint-Brieuc, le 6 août, le groupe de Georges Ollitrault a été décimé en attaquant un blockhaus près de Paimpol. Il a échappé par miracle à la mort.
© Coll. G. Ollitrault.

d'un cimetière contre des Russes blancs, alors que la ville tombait.

Quelques jours plus tard, nous avons été envoyés à Paimpol où les Allemands résistaient. J'ai reçu l'ordre d'attaquer un blockhaus. Il y avait un monte-paille qui nous bloquait. On l'a grenadé avant d'avancer. J'étais allongé ; j'ai vu une grande flamme. J'ai seulement pris des éclats dans les jambes mais mes camarades ont été déchiquetés. Une mine antichar avait explosé. Les huit autour de moi ont été tués, projetés et écrasés contre un mur. J'ai eu la chance d'être au sol. J'ai

été évacué et je n'ai pas vu la Libération de Paimpol. Ce qui n'était peut-être pas un mal… Quand j'ai appris, ensuite, ce qui s'était passé, j'ai été écœuré. Les pseudo-FFI sont sortis, se sont mis à tondre des femmes, à faire justice… alors qu'ils n'avaient jamais vu un Allemand. D'autres ont retourné leur veste… Ceux qui avaient combattu au moins une journée, ils étaient respectables. Ceux qui ne sont jamais venus, qui n'ont jamais pris de risques, ils étaient méprisables.

Après la Libération

En 1944, j'ai régularisé ma situation. J'ai signé un engagement pour la durée de la guerre. Comme j'avais été blessé et en convalescence, j'ai été détaché à l'état-major. Puis j'ai été envoyé à Saint-Brieuc, dans une école de triage, où on rassemblait des cadres de la Résistance. En fonction des notes, on pouvait être envoyé à l'école interarmes de Coëtquidan. J'y ai été affecté au tout début du mois de janvier 1945. C'était intensif. Au bout de trois ou quatre mois, dont une partie passée à Belle-Isle-en-Terre, j'ai été homologué sous-lieutenant de réserve.

Partant pour l'Indochine, j'avais la possibilité de passer dans l'active. J'ai été muté dans un régiment de tirailleurs sénégalais. J'étais à Fréjus, en attente de départ, lorsqu'on m'a déclaré « inapte à Extrême-Orient » mais « apte aux colonies » ! J'ai connu la vie de caserne. La dernière caserne, c'était à Montpellier. Là, en 1946, j'ai été réformé. Je ne me plaisais plus dans l'armée. Il y avait des groupes qui se formaient : les anciens résistants, ceux qui avaient servi sous Pétain, ceux qui avaient été en captivité… J'avais hâte de retourner chez mon père, de retrouver mes chevaux. Je me suis mis à mon compte dans les chevaux. Je n'ai fait que ça. J'ai gagné le Prix d'Amérique en 1979.

Parallèlement, je me suis mis à la recherche de tous les documents qui pouvaient attester de mes activités. J'ai récupéré des documents, retrouvé les archives de la police française, de l'armée allemande… J'ai aussi des tas d'amis qui m'en envoient. Quand on ne sait pas, on se tait. Moi, j'ai les documents pour prouver ce que j'ai fait. Pourtant, j'en parle très peu. De tout ça, je me dis que j'ai eu de la chance. J'ai survécu aux arrestations, aux blessures, à la vermine, à la faim. La faim, ça m'a torturé longtemps…

Georges s'est engagé fin 1944. Formé en quelques mois, il a été nommé sous-lieutenant avant d'être réformé. Coll. G. Ollitrault.

Georges Ollitrault, bien après la guerre, a retracé tout son périple en recherchant tous les documents qui attestaient de ses actions. Aujourd'hui, l'ancien éleveur de chevaux continue ses recherches. Coll. G. Ollitrault.

Mathurin Henrio.
© Cliché : Musée de l'Ordre de la Libération, Paris.

Lazare Pytkowicz.
© Cliché : Musée de l'Ordre de la Libération, Paris.

Les plus jeunes Compagnons de la Libération

L'ordre de la Libération, créé en novembre 1940, est « destiné à récompenser les personnes ou les collectivités militaires et civiles qui se seront signalées dans l'œuvre de libération de la France et de son empire ». Les critères d'attribution de la Croix de la Libération ne tiennent compte ni de l'âge ni du sexe, pas plus que du grade ou même de la nationalité du futur Compagnon. Seules comptent la valeur et la qualité exceptionnelle des services rendus.

Entre le 29 janvier 1941, date de nomination des cinq premiers Compagnons, et le 23 janvier 1946, date du décret qui met fin à l'attribution de la Croix de la Libération, 1 036 personnes, 18 unités militaires et 5 communes (Nantes, Grenoble, Paris, Vassieux-en-Vercors et l'île de Sein) se sont vu attribuer cette prestigieuse récompense.

Sur les 1 036 Compagnons (leurs biographies sont disponibles sur le site de l'Ordre : www.ordredelaliberation.fr), 18 sont entrés dans la Résistance ou dans les Forces françaises libres avant l'âge de 18 ans.

Mathurin Henrio, le plus jeune, est né le 16 avril 1929, à Baud, dans le Morbihan. Ce fils d'agriculteur a été tué par les Allemands le 10 février 1944. Ce jour-là, le jeune Mathurin se rend à la ferme de Poulmein, près de Tallen, où trois maquisards ont trouvé refuge. Traqués par l'ennemi, les résistants décident de rejoindre un autre refuge situé à une vingtaine de kilomètres. Mathurin les aide à charger armes et munitions lorsque survient une patrouille allemande qui le capture. Refusant de donner des informations sur les résistants et sur la localisation des maquis, il est abattu de deux balles dans la tête. Fait Compagnon de la Libération par un décret du 20 novembre 1944, Mathurin Henrio est inhumé à Baud.

Lazare Pytkowicz est né à Paris, le 29 février 1928. Dès l'âge de 12 ans, il a commencé à distribuer des tracts dont celui appelant à la manifestation des lycéens et étudiants du 11 novembre 1940. Arrêté le 16 juillet 1942, lors de la rafle du Vel'd'Hiv', il parvient à s'échapper. Dans l'impossibilité de gagner l'Algérie, il devient agent de liaison des groupes francs des Mouvements unis de Résistance (MUR), acheminant des documents, de l'argent et des armes. Interpellé à Lyon le 24 octobre 1943, il parvient à s'enfuir. Il sera arrêté une troisième fois, à Paris, le 27 janvier 1944. De nouveau, alors qu'il devait être déporté en Allemagne, il fausse compagnie à ses gardiens. Orphelin (aucun membre de sa famille n'est revenu d'Auschwitz), il sera fait Compagnon de la Libération le 17 novembre 1945. Lazare est décédé le 12 octobre 2004, à Paris.

Henri Fertet.
© Cliché : Musée de l'Ordre
de la Libération, Paris.

Henri Fertet a été fusillé à l'âge de 16 ans. Né dans le Doubs, le 27 octobre 1926, il a intégré, au cours de l'été 1942, un groupe de résistants commandé par Marcel Simon (22 ans). Ce groupe, qui a rejoint les FTP en février 1943, est devenu le groupe franc Guy-Môquet, responsable de nombreux sabotages et coups de main. Henri Fertet sera arrêté le 3 juillet 1943. Emprisonné pendant quatre-vingt-sept jours, torturé, il sera fusillé à la citadelle de Besançon le 26 septembre 1943, avec quinze de ses camarades. Compagnon de la Libération (décret du 7 juillet 1945), il est aussi chevalier de la Légion d'honneur et a été décoré de la Croix de guerre, de la Médaille de la Résistance, de la Croix du combattant volontaire et de la Médaille des déportés et internés résistants.

Les quinze autres plus jeunes Compagnons :
– David Régnier (né le 27 août 1925, fusillé le 20 juin 1944)
– Pierre Ruibet (né le 9 juillet 1925, fusillé le 1er juillet 1944)
– Louis Cortot (né le 26 mars 1925, FTP de Seine-et-Marne, décoré de la Croix de la Libération par le général de Gaulle, le 11 novembre 1944)
– Georges William Taylor (né le 25 août 1924, rejoint Londres à 16 ans, sous-lieutenant au 2e régiment de chasseurs parachutistes, se distingue à Saint-Marcel, tué au combat le 8 avril 1945)
– René Troël (né le 4 octobre 1923, engagé dans les FFL à 16 ans, combattra au sein de la 2e DB)
– Léon Bouvier (né le 28 septembre 1923, s'engage à 16 ans dans les FFL, amputé d'un bras à Bir-Hakeim, reprend le combat)
– Jacques Lemarinel (né le 5 juin 1923, rejoint l'Angleterre à 17 ans, tué en juin 1944 en Italie)
– François Seité (né le 12 février 1923, rejoint l'Angleterre le 19 juin 1940, tué au combat le 17 novembre 1944, dans les Vosges)
– Jacques Voyer (né le 27 décembre 1922, rejoint Londres à 17 ans, membre du BCRA, fusillé le 27 juin 1944 à Chartres)
– Raymond Lasserre (né le 8 décembre 1922, s'engage à 17 ans dans les FFL, tué au combat en Italie, le 26 juin 1944)
– Alain Gayet (né le 29 novembre 1922, s'engage dans les FFL le 1er juillet 1940, lieutenant à la 2e DB)
– François Philippe (né le 12 août 1922, rejoint l'Angleterre le 20 juin 1940, tué au combat le 24 août 1944 près de Toulon)
– François Fouquat (né le 17 juillet 1922, engagé dans les FFL le 1er juillet 1940, affecté au BCRA, tué au combat dans la Nièvre le 15 juin 1944)
– Alain Agenet (né le 2 juillet 1922, engagé dans les FFL le 22 juin 1940, affecté à la 13e DBLE, Demi-Brigade de Légion étrangère)
– André Moulinier (né le 19 juin 1922, s'engage dans les FFL le 10 septembre 1940, affecté au BCRA, combat en France à la tête de plusieurs maquis)

Chronologie
de la Résistance

1940

10 mai : Invasion de la France.

17 juin : Formation du gouvernement du maréchal Pétain.

18 juin : Appel du général de Gaulle à Londres.

22 juin : Armistice franco-allemand.

17 juillet : Un premier agent de la France libre est envoyé en France. Il s'agit de Jacques Mansion.

5 septembre : Début de l'émission de la BBC « Les Français parlent aux Français ».

24 octobre : Entrevue à Montoire entre Pétain et Hitler, début de la collaboration officielle.

11 novembre : Manifestation étudiante sur les Champs-Élysées.

1er décembre : Premier numéro du journal *Libération Nord*.

1941

Mars : Structuration du mouvement des Francs-Tireurs.

Mai : Naissance des réseaux Buckmaster.

Mai-juin : Création du mouvement de résistance communiste Front national.

22 juin : Début de l'opération « Barberousse » contre la Russie.

Juillet : Début des mouvements de résistance Libération Nord et Libération Sud.

20 septembre : Création à Londres du Comité national français (CNF).

22 octobre : Arrivée de Jean Moulin à Londres.

1er novembre : Henri Fresnay crée le mouvement Combat.

7 décembre : Attaque japonaise de Pearl Harbor. Entrée en guerre des États-Unis.

24 décembre : Jean Moulin est nommé délégué général du général de Gaulle.

1942

28 mars : Création des Francs-Tireurs et Partisans français (FTPF).

4 septembre : Vichy institue le Service du travail obligatoire (STO).

9 octobre : Le général Delestraint est nommé à la tête de l'Armée secrète.

2 octobre : Création d'un Comité de coordination des mouvements de résistance de la zone Sud.

8 novembre : Débarquement allié en Afrique du Nord.

11 novembre : La zone Sud est envahie par les Allemands.

26 décembre : Début du maquis des Glières (Haute-Savoie).

1943

6 janvier : Début du maquis du Vercors (Drôme).

26 janvier : Mise en place du Mouvement uni de la Résistance (MUR) après la fusion de Combat, de Libération et de Francs-Tireurs.

30 janvier : Création de la Milice.

31 janvier : Création de l'Organisation de résistance de l'armée (ORA).

16 février : Le STO passe à deux ans.

21 mars : Arrivée en France de Jean Moulin.

27 mai : Première réunion du Conseil national de la Résistance.

21 juin : Arrestation de Jean Moulin à Caluire. Il meurt le 8 juillet.

1944

29 janvier : Les Allemands attaquent le Vercors.

1er février : Création des FFI.

26 février : Fin du maquis des Glières.

3 juin : Constitution du Gouvernement provisoire de la République française (GPRF) à Alger.

5 juin : Parachutage de SAS français en Bretagne.

6 juin : Débarquement allié en Normandie.

10 juin : Massacre d'Oradour-sur-Glane.

13 juin : Offensive allemande contre le Vercors.

18 juin : Le maquis de Saint-Marcel (Morbihan) est attaqué.

15 août : Débarquement en Provence.

19 août : Début de l'insurrection parisienne.

25-26 août : Libération de Paris. Le général de Gaulle descend les Champs-Élysées.

28 août : De Gaulle ordonne aux FFI d'intégrer les forces régulières.

12 septembre : Décrets d'intégration de 140 000 FFI et FTP dans la 1re armée française.

1945

7 avril : Les SAS français sautent en Hollande.

8 mai : Capitulation allemande.

Remerciements

Sans la patience et la gentillesse des anciens résistants qui ont accepté d'être interviewés et de fournir des documents, ce livre n'aurait pas vu le jour. Merci donc à René Vautier, Jean-Raphaël Hirsch, Ginette Marchais et James Thireau, Loïc Bouvard, Pierre Demalvilain, Jean-Jacques Auduc, Reymond Tonneau, Théo Bohrmann et Robert Suc, Pierre Lebret, Louis Masserot et Georges Ollitrault.

L'auteur tient aussi à remercier tous ceux, et ils sont nombreux, qui l'ont guidé dans ses recherches, qui ont servi d'intermédiaires ou qui ont contribué à la rédaction et à l'illustration de cet ouvrage.

Les Éditions Ouest-France remercient tout particulièrement

M. Christian Le Corre, collectionneur.
M. Guy Krivopissko, conservateur au musée de la Résistance nationale.
M. Vladimir Trouplin, conservateur et Mme Béatrice Parrain, documentaliste au musée de l'Ordre de la Libération.
M. Guy de Rouville, président de l'Amicale des Maquis de Vabre (maquisdevabre.free. fr).
Mme Catherine Junges, conservateur du patrimoine, et Mme Catherine Paulet, du département des publiques et de la valorisation, bureau de l'iconographie et de l'imagerie, Service Historique de la Défense.
Mme Marie-Annick Le Gac, des Archives départementales des Côtes-d'Armor.
M. Joël Bercaire, des Archives départementales du Tarn.
Mme Fabienne Martin-Adam et M. Olivier Barbet, conservateurs au musée de Bretagne.
Mme Françoise Germane, des archives du Centre d'études et du musée Edmond-Michelet à Brive-la-Gaillarde.
M. Thibault, conservateur au musée de la Résistance bretonne à Saint-Marcel.
M. Claude Charlot, chef du service des archives et du musée, et M. Malik Benmiloud, de la Préfecture de Police de Paris.
Mme Thérèse Blondet-Bisch, chargée des collections photographiques, musée d'Histoire contemporaine - BDIC.
Musée de la Résistance de Vassieux-en-Vercors.
M. Claude Mainguy, adjoint au maire de Gennes.
M. Pierre Pécastaingts.
M. André-Joseph Morel, Centurion fondateur de la Centurie des plus jeunes Croix de guerre de France, cité à 16 ans 8 mois et 5 jours.
M. Dominique Varry, professeur des universités à l'ENSSIB.
M. Viers, président du Club du Rail miniature castrais.

Lieux à visiter si vous souhaitez compléter votre lecture :

Musée de la Résistance nationale
à Champigny-sur-Marne
Parc Vercors
88, avenue Marx-Dormoy
BP 135
94501 Champigny-sur-Marne Cedex
Tél. 01.48.81.53.78
www.musee-resistance.com

Musée de l'Ordre de la Libération à Paris
51 bis, boulevard de La Tour-Maubourg
75700 Paris Cedex 07
Tél./Fax : + (33 1) 47 05 04 10
www.ordredelaliberation.fr

Musée de la Résistance bretonne à Saint-Marcel
Saint-Marcel - Malestroit (56)
Tél. 02 97 75 16 90
www.resistance-bretonne.com

Centre et musée Edmond-Michelet à Brive-la-Gaillarde
4, rue Champanatier
19100 Brive-la-Gaillarde
Tél. 05 55 74 06 08
www.centremichelet.org

Musée de la Résistance de Vassieux-en-Vercors
26420 Vassieux-en-Vercors
Tél. 04 75 48 28 46
www.memorial-vercors.fr/memoire/musee.html

Musée d'Histoire contemporaine
129, rue Grenelle
75007 Paris
Tél. 01 44 42 54 91
www.bdic.fr

Table des matières

Éditeur
CHRISTIAN RYO

Coordination éditoriale
ISABELLE ROUSSEAU

Collaboration éditoriale
ANNE-SOLENNE MARROULLE

Conception graphique
ALEXANDRE CHAIZE

Mise en page
STUDIO GRAPHIQUE
DES ÉDITIONS OUEST-FRANCE

PHOTOGRAVURE :
NORD COMPO, VILLENEUVE-D'ASCQ (59)

IMPRESSION :
MAME IMPRIMEURS À TOURS (37)

© 2008, ÉDITIONS OUEST-FRANCE
ÉDILARGE SA, RENNES
ISBN 978-2-7373-4275-2
DÉPÔT LÉGAL : FÉVRIER 2008
N° D'ÉDITEUR : 5460.01.06.02.08
IMPRIMÉ EN FRANCE

Retrouvez-nous sur www.editionsouestfrance.fr